《期權 Long & Short》
之進階篇

股票
期權

期權 Long & Short 之進階篇　股票期權

作　　者：杜嘯鴻

出版人：杜嘯鴻

出版社：　**香港期權教室 / HK Option Class**
　　　　　地址：香港九龍灣展貿徑1號國際展貿中心10樓1026A室
　　　　　電話：(852) 2735 8165　　　　傳真：(852) 3404 5505
　　　　　網址：www.hkoptionclass.com.hk　電郵：cs@hkoptionclass.com.hk

印　　刷：美雅印刷製本有限公司

發　　行：春華發行代理有限公司

初　　版：二〇一五年七月

二　　版：二〇一八年七月

代理經銷：白象文化事業有限公司
地址：401 台中市東區和平街 228 巷 44 號
電話：(04) 2220-8589　傳真：(04) 2220-8505

第二版序

《指數期權》、《股票期權》及《期權心理》，這三本書的第一版已售罄。從市場銷售看，《指數》最快賣完，《股票》次之，《心理》最慢。但筆者從寫作的角度看，《心理》最費氣力，《股票》次之，《指數》則最簡單。由此可見，努力與成果經常不成正比。

其實，期權書不可能是大眾讀物，這三本書的銷售與市場上參與期權操作的人群有關。剛剛參與期權操作的，大多數喜歡看《指數》，因為較為簡單，快上快落，十分痛快。但略有期權操作經歷後就會喜歡看《股票》，因為這是累積被動收入（Passive Income）的好方法。操作了一段時間後，經歷了賺錢的快樂和輸錢的痛苦，這些人就會懂得如何看《心理》，從中領略操作的心態，是另一個層次的提升。這三本書的第一版售罄後，筆者得到的反饋就是如此。

藉此，筆者請閣下看完這套書後，自我檢查自己目前是那種人，還可以做個測試，借這三本給朋友看，看朋友對這套書的態度是否是筆者提及的那三種。益己益人，何樂而不為。

這次發行第二版，第一版中的筆誤和排版問題已得到修正，在此特別多謝助理陳俊謙/Frandix Chan 及學員小周的細心工作，也要多謝深圳王岩小姐/Lilian Wong（《期權 Long & Short》〈中國篇〉的作者之一）在最後階段的認真校對。文字創作是靠個人的力量，但文字出版工作的確是需要集體的力量。

筆者藉此機會也返看這三本書，覺得寫作方面還是有頗大的改善空間，今後要不斷努力。筆者返看後覺得汗顏之處是導讀文，因為導讀文是這三本書的特點，應該寫的更有啟發性，更有趣，這樣才能增強這三本書的可讀性，令正在操作期權的讀者受益。因此，筆者有計劃要覓時重新整理導讀文。

與這三本書套裝書配對的，是《期權 Long & Short》（第七版）與《期權十年》（全新書），這兩本是寫給未決定是否參與操作的人士，作為了解期權，增進金融知識閱讀的。若讀完《期權 Long & Short》與《期權十年》後，決定參與操作期權，就應該看這三本套裝書，而且三本都必須看完，因為這是閣下必定要經歷的過程，對閣下一定有益，看完後才做決定是從指數開始還是從股票著手，還是雙管齊下。當然，筆者是建議先擇其一，累積了經驗後再涉及兩者。

最後，筆者在此的建議是：當閣下確定參與指數期權或股票期權時，這三本書當然要看一次，待閣下操作了一段時間後，不要忘記再返讀一次，你會發覺自己的不足之處，但同時又會充滿自信心。

杜嘯鴻
2018 仲夏

序

　　若閣下持有《期權 Long & Short》第五版，看過序，你會發現筆者對計劃中的新書有這樣的描述：股票期權的書名可能是《股票期權——快樂的現金流》（此書求簡單只用四個字）。操作股票期權可以產生現金流，這個觀點在《期權 Long & Short》第一至四版的筆者序中已有提及，第五版序中提及快樂，快樂在此的定義是有些現象會經常出現（如派息，供股，紅股等等），而我們不難對這些現象作出預期，從而運用期權獲利。

　　筆者在股票堂上講，做股票期權是：賺錢穩！

　　何為穩，筆者對這種穩的定義是：對最後的結局不必太擔心。

　　在此，首先閣下要認同筆者的觀點，期權的核心就是對沖，而股票期權的對沖，就是用股票或用現金：Short Put 對沖現金，Short Call 對沖股票，而股票或現金這兩者都是沒有時間值或時間性，以沒有時間值和時間性的股票和現金，來對沖有時間值及有時間性的期權，閣下的壓力少了一大半。

　　股票期權較具風險的是 Short 倉的兩種結局：

　　其一是 Short Put：這是需要接貨持有股票，若資金不足會頗為狼狽。

　　其二是 Short Call：若無貨沽出股票，而股價上升，可能會狼狽不堪。

　　面對這兩種狼狽的結局，作為保守的投機者，若我們懂得運用『期權循環圖』及期權的數據和技巧，理性分析，巧定策略，這兩種結局是可以避免的。閣下看完這本書，也應該會明白一大半。在此，筆者也要向閣下推薦《期權心理》。

　　股票期權的 Long 是利潤豐厚，風險只是付出的期權金，但有如此好事，多少都要有些運氣。若閣下有眼光開 Long，有輸的起的期權金（不是指本金），也有輸期權金的心理準備，你已具贏面。

　　綜合以上的講法，就是穩！所以，筆者用深咖啡色為此書的主色調。

　　香港交易所的股票期權目前有 83 個供閣下挑選，某種意義上說，股票期權的機會比指數期權多。股票期權需花時間做功課，但完全可以用業餘時間研究，選定自己的目標，制定自己的策略，落盤讓電腦自行執行。

　　相對指數期權，股票期權非常適合在職人士，希望各位小心看管自己心儀的股票，挖掘股票的另類收益（extra yield），這是非常健康的心態，筆者極力建議散戶參與。若閣下熟悉操作後，將股票期權當作是一盤小生意來經營，你一定會領略到當中的樂趣和成功感。

杜嘯鴻

2015 年 6 月

此書的期權主題已明確，目錄則是以時間編排，目的是方便讀者閱讀時按時間順序翻查歷史數據，可以較深刻地理解股票期權操作的具體細節。

序

2009

匯控期權的引伸波幅和每日成交 (1/4)	2009/01/24	2
從匯控期權成交看笨象是否插翼變飛象 (2/4)	2009/02/28	5
明年今天看匯控 (3/4)	2009/03/07	9
匯控期權策略 (4/4)	2009/03/21	12
買是徒弟　賣是師傅	2009/04/04	16
壞消息出臺時　才是 Short Put 好時機	2009/08/22	17
調整市中股票期權的優勢	2009/09/05	17
孔明借箭做股票期權	2009/10/03	19
十月期權高位結	2009/10/17	22
向日本分析師學習	2009/10/17	23

2010

上落市中的股票期權策略	2010/01/23	28
股票期權搬倉策略	2010/02/20	29
一個美麗的期權故事又開始	2010/03/06	32
操作期權可試用 ATR/N 值	2010/04/17	35
沽出股票後 Long Call 與沽出股票後 Short Put (2628)	2010/05/15	38
用基金策略操作個股期權	2010/07/03	40
愛股失色　仍是精品	2010/07/17	43
股票期權之孔明借箭	2010/08/28	46
股票期權 Long Call (1/2)	2010/10/08	49
股票期權 Long Put (2/2)	2010/10/22	52
供股的期權策略	2010/11/05	55
供股與新股的期權策略	2010/11/19	58

2011

金融亂象　開倉宜慎	2011/01/14	62
虎頭蛇尾 AIA　守株待兔中人壽	2011/01/28	63
細心預波幅　擇位做股票	2011/02/11	67
股票期權　錢分三注　分投三處	2011/07/01	69
P/E 7-9 的股票期權策略	2011/07/29	73
股票沽空和股票期權	2011/10/07	76
波幅大　股票期權用 Long	2011/10/21	78

2012

業績公佈期的股票期權策略	2012/03/09	82
香港「小選」月帶來的期權機會	2012/03/23	85
股票期權的機會與策略	2012/04/06	87
股票期權：大藍籌小插曲	2012/05/18	91
股票期權：從業績期定策略	2012/08/24	93
Covered Call 的股票期權策略	2012/10/19	96
無正股開 Short Call 的期權策略	2012/11/02	99

2013

做個股分析的期權機會	2013/02/08	104
個股期權　快！準！狠！	2013/02/22	106
港交所股票期權網頁大翻新	2013/03/22	110
加息前夕的股票期權策略	2013/07/12	113
期權機會個股尋	2013/07/26	115
股票期權故事多	2013/09/06	117
民營銀行即面世　內銀期權定策略	2013/09/20	120
股票期權之無限循環	2013/10/04	124
股票期權魅力──每月正現金流成真	2013/10/18	126
運用股票期權於相反走勢之探討	2013/11/01	131

2014

地產期權策略	2014/01/24	136
期權月尾 Long　股票勝指數	2014/03/08	139
淺談股票期權的選擇	2014/05/02	144
股票期權的方向性組合策略	2014/05/16	147
股票期權的等待與開倉	2014/06/06	149
股票期權莊家的市場功能	2014/07/11	152

後記 155

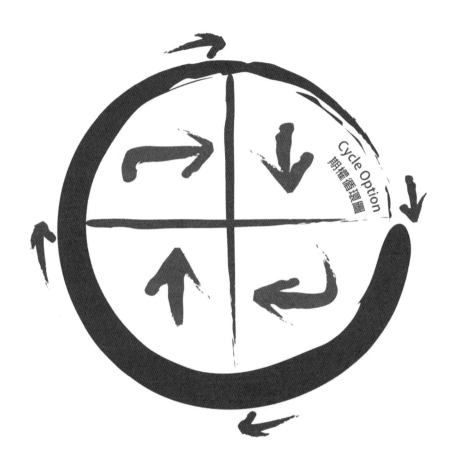

股票期權
2009

《期權 Long & Short》之進階篇

2009/01/24

　　此書開場，以下的連續四篇都是講匯控，但當時的匯控與此刻大不相同，當時匯控與大市的相關性甚高，單匯控就佔恆指的比例達 15%，今時今日已是低於 12%，而且會繼續下調至 10%，甚至以下。因此，當時若能看通匯控，基本上看通大市。但要從期權的角度仔細看一個股票也頗是辛苦的工作，特別是在股價波動期及配股或供股期，可見要賺期權金也並非一件容易的事。不過，一旦你習慣了這種分析方法，將這種行為成為生活的一部分，你可能會覺得是一種樂趣。

　　以下的分析方法雖然是講匯控，但運用到其它類似的股票一樣有價值。

匯控期權的引伸波幅和每日成交 (1/4)

　　有篇英文文章吸引本人細讀，因為題為《Options and HSBC: Memories of Bear, Lehman?》。此分析師將匯控在美國的期權成交變化，聯想到貝爾斯敦和雷曼兄弟，弦外之音是指下一波金融風暴會出大問題的，匯控可能會榜上有名。此文章是見匯控在美國期權成交量從每天平均 18,000 張突然增加到 1 月 13 日的 172,000 張，這一現象令這位分析師回憶起貝爾斯敦和雷曼兄弟倒下前，這兩位投資巨人的期權成交都有不尋常的變化，與目前匯控的期權變動有十分相似之處。筆者十分欣賞該分析師細心的觀察和警覺，但並不認同他對匯控的觀點。

　　的確，從附圖中我們也可以看到，本週二（20 日）匯控的引伸波幅已從 19 日的 40 突然拉升至 81，這種波幅變化在藍籌少見，在匯控更是罕見，因為這是屬於二線股的表現。引伸急升也帶來成交急升，反映了市場人士對匯控股價擔心的情緒，大量的股票持

有者要為自己的股票買保險。本週三（21日），股價再跌，引伸也再拉高至84，期權認沽明顯增多，單是在2月認沽35行使價當天就錄得5081張大成交。

本週匯控從70元裂口性開始下跌，跌勢之猛令人吃驚。筆者在期權教室有文章提及，若作為匯控的小股東是否可以找到大行的文字分析報告，轉呈匯控要求解釋，因為匯控若有貝爾斯敦和雷曼兄弟的問題，應該提前對公眾交代，匯控對香港的影響力何止股價下跌這麼簡單，這將會是整體市場信心崩潰。但若還不是匯豐的股東，此時應該是Short Put進場成為股東的大好機會。本週三（21日），也是大比拼的一天，股價在55元堅定地穩守，買方在現價55的水平長時間保持以百萬股計的強大買盤，而賣方則只以千計，也就是說，買方當日不願意提高價位，但誰願意在55元沽，照收不誤！

以短期計，匯控的股價週五收市計57.4，市盈率為4.464，若跌至大行認為的49，市盈率將約為3.8，若再跌至認沽期權的35行使價（最高成交位），其市盈率將會約為2.7。對許多人來說，這是難以想像的，但從分析師的角度，則是完全有可能，因為花旗從2007年的高位，55.7跌至本週的新低2.8，跌幅達95%。若匯控從2007年的高位153，跌至35，也只是約77%左右的跌幅。不過筆者認為，若真有此價，銀行出現人龍難免，但人龍不是提款，而是申請成為股東。

大家都知道，引伸波幅對期權金影響甚大，超常的引伸波幅一般都是提示風險，但也是機會所在，關鍵在於如可選擇風險。見本週三（21日）的市況，筆者Short Put匯控3月認沽45行使價，收期權金4.10，也就是說準備在40.90的水平接收匯控正股。這應該是不錯的買賣，因為每手可收期權金1640，但按金只需3000（編註：按金可以在期權教室的網頁內查詢，可翻查最近兩個月的按金數據）。週四（22日），引伸波幅已回

《期權 Long & Short》之進階篇

落至 70，成交也見明顯收縮，説明市場的緊張情緒有所放緩。所以在週五，筆者預計引伸也會是繼續回落，故小試 Long Call 2 月匯控認購 70 行使價，付期權金 1.10，期待在 2 月中前，匯控可能出現的反彈。操作期權，我們不得不花時間留意引伸波幅和成交變化，這些都是期權制勝的關鍵。

順帶一句，20 日晚看 Obama，聽完他的演詞就知道自己的 Long Call 玩完！這是優秀的政治表演，但內容對實質經濟顯得太平淡，華爾街先給他一個下馬威！用利潤做 Long，若輸錢，也就是説本月的利潤縮水。具體一些，本月是用 Short Call 平倉後的部分利潤做 Long Call，所以心理平衡。再想深一層，四年才有一遇，黑人總統更是百年首次，作為慶賀，無所謂啦！

春節將至，鼠去牛來，籍此篇幅向各位讀者拜個早年，在牛年祝各位：牛刀輕試期權，學習實踐不斷，牛力重拳出擊，Long Short 雙雙獲益！

日期	收市價	引伸波幅	認購變化	認沽變化
1 月 19 日	62.0	62	9940	4508
1 月 20 日	57.5	81	17914	20140
1 月 21 日	55.0	84	15095	24475
1 月 22 日	57.0	70	6648	8749

（表：匯控 (5) 期權引伸波幅和成交張數變化）

2009/02/28

　　事過境遷，2009 年筆者服務於大福證券，同年大福被海通收購。當年在《信報》以大福證券網上服務投資顧問發表的文章放於附錄作為紀念。

從匯控期權成交看笨象是否插翼變飛象 (2/4)

　　近期銀行股普遍大舉被拋售，關鍵是銀行擁有的資產此刻難以進行估值，在成交偏低的行情下，資產價格不斷下滑，導致股價下跌。花旗本月的最低已見 1.65（去年最高 55.70）。但由於當今的銀行會計準則是 Mark-to-market，所以當股價下滑時，銀行的資本比例也下降，所以銀行不得不集資增加資本以滿足行業的標準要求。在集資及增資的過程中所產生的問題又是另一回事。

　　匯控股價本週站穩 55，週四急速上升收 57.45，週五繼續上揚。從期權盤路看 Call 的成交在 60 至 70，Put 位的成交量無法與 Call 相比（所以沒做表），Call 的排列行使價都是千張以上（見表）。市場的焦點關注在下週一，若公佈結果如市場預期，估計笨象會插翼變飛象，反彈的幅度也會在期權成交的幅度內。匯控股價本週最低跌至 53.5，令許多港人擔心。但我們回顧匯豐的歷史，匯豐一向都是在不斷地進取中壯大自己，當然，在進取的過程中有損失難免。此次金融海嘯，不傷筋骨，匯豐品牌已在。記得八十年代，匯豐投資澳洲奔達集團（Bond），導致嚴重虧損，當時的主席做年結時說「這不是第一次，也不是最後一次。」("This is not the first time and not the last.") 近期的主席彭約翰，又有名言「一個壞的決定，總比沒有決定好。」("A bad decision is better than no decision.") 看匯豐，我們也看到港人多年來的拼搏精神，李嘉誠的王國不也是在不斷地拼搏中成長出來的嗎？筆者保持匯豐 3 月的 Short Put 45，並再開 Long 3 月 65 Call。目前重磅銀行

《期權 Long & Short》之進階篇

股價上下 10% 常見（如花旗），若匯豐也是，反彈第一站可看 60-65。一旦匯豐站穩，不單是對匯豐本身，而是對整體大市有正面的影響，各位要準備把握機會。

27/2 匯豐 3 月期權 Call 成交		
成交量	成交價 H/L	行使價
301	4.35 / 3.80	57.5
1369	3.17 / 2.65	60.0
1247	2.25 / 1.81	62.5
1724	1.55 / 1.13	65.0
1839	0.95 / 0.78	67.5
1082	0.60 / 0.48	70.0
221	0.34 / 0.29	72.5

（表：2 月 27 日的匯豐控股 (5) 3 月 Call 成交數據）

　　本月 20 日港交所推出「互動期權訓練課程系列」，估計港交所將落氣力推廣期權。該內容在港交所的網站可以找到，但也可方便地在「期權教室」（www.cycleoption.com.hk），點擊「學『問』」，即可快速、方便地看到。筆者對該期權課程的推出備受鼓舞，雖然該系列新意略欠，但下工夫做推廣總比沒有好。另外，推出的時間遲緩，應該去年開展，趕上市場的變化，因為學期權需時，不過如港人所言，有心不怕遲，因此實在值得稱讚。筆者的觀點是，應該讓大眾人仕認識到學習期權是一個健康的投資方向，若通過學習期權，不但能提高投資知識，還能提升投資者自身的心理質數，這對大眾散戶都是佳音。展望 2009 年，按華爾街近期的説法是「Self-directed management」，也就是説，過去十多年銀行不斷推出各種「打包」的所謂「投資組合」，將迅速萎縮，散戶自行決定投資策略將成為必然的選擇。正如本報創辦人林行止先生所言：「投資者要深切體認，賺錢是世上最艱難的事，要在股市中有所斬獲，花點時間鑽研是最起碼的工作。」

　　進入 3 月，下週一匯豐開場，跟著是企業公佈業績不斷。我們見 2 月波幅僅有 1342 點（最高 13976 － 最低 12634），成交也減。這應該反映了市場人仕對業績的預期，觀望氣氛濃厚。所以 3 月份即使波幅擴大，也不會擴大得太多，因為 3 月還是一個觀望期。筆者 2 月 Short 倉收盡，Long 倉損失 50%，整體仍錄得利潤。見波幅而動，繼續是 3 月的主要期權策略。另外值得一提的是近期日元匯率，目前已達 98-99，但若三月日本年結，資金回籠，日元可能會迅速拉升，這種現象對股市的影響要有提防。

杜嘯鴻

從匯控期權成交看筆來象是否變飛象

近期銀行股普遍大幅被拋售，關鍵是銀行擁有的資產此刻難以進行估值，在成交偏低的行情下，資產價格不斷下滑，導致股價下跌。花旗本月最低見1.65元（去年最高55.70元）。由於現今的會計準則是mark to the market，當股價下滑時，銀行的資本比例也下降，所以銀行不得不集資增加資本以滿足行業的標準要求，在集資及增資的過程中所產生的問題又是另一回事。

匯控股價本周站穩55元，周四快速上升收57.45元，周五繼續上揚。從期權盤路看Call的成交在60至70，Put的成交量無法與Call相比（所以沒做表）。Call的排列所使價都是千張以上【表】。

市場的焦點關注在下週。若公佈結果如市場預期，估計本周象會描短變飛象，反覆的幅度也會在期權成交的幅度內。匯控股價的歷史，低迄至53.5元，令許多港人擔心自己。當然，過去十年在不斷進取中壯大自己。當然，匯豐品牌仍在。記得八十年代，匯豐投資澳洲奔達集團（Bond），導致嚴重虧損，當時的主席做年結時說「這不是第一次，也不是最後一次。（This is not the first time and not the last.）」近期的主席龐約翰又有名言「一個壞的決定，總比沒有決定好。（A bad decision is better than no decision.）」看匯豐，我們也看到港人多年來的拚搏精神，李嘉誠的王國不也是在不斷地拚搏中成長的嗎？筆者保持匯豐3月的Short Put 45，並再開Long3月65 Call。目前重磅

銀行股價上10%常見（如花旗），若匯豐也如是，反彈第一站可看60-65元。一旦匯豐站穩，不單是對匯豐本身，而是對整體大市有正面的影響，各位要準備把握機會。

本月20日港交所推出「互動期權訓練課程系列」，估計港交所將落力推廣期權，該內容在港交所的網站可以找到，也可在「期權教室」（www.cycleoption.com.hk/）點擊「學"問"」即快速、方便地看到。筆者對該期權課程的推出深受鼓舞，雖然該系列新應策欠，但下工夫做推廣總比沒有好。另外，推出的時間遲緩，應該去年開展起上市場的變化，因為學期權需時，不過，如港人所言，有心不怕遲。

權。因此筆在值得稱讚，筆者的觀點是，應該讓大眾人士認識到期投資知識，通過學習期權，能提升投資者的心理質素，這對大眾散戶都是佳音。華爾街近期推出的說法是「Self direct management」，也就是說，多年銀行不斷推出各種「打包」的所謂投資組合，將迅速萎縮，散戶自行決定投資策略將成為必然選擇。正如本報創辦人林行止先生所言：投資者要深切體認，賺錢是世上最艱難的事，要在股市中有所斬獲，花點時間鑽研是最起碼的工作。

進入3月，下周一匯豐開場，跟著是企業公布業績不斷，2月波幅（最低12634，最高13976，僅1342點），成交比3月份即使波幅擴大市場人士對業績大多是一個觀望期，因為3月是一個觀望期，筆者2月Short會擴大50%。另外，值得一提的是近期美元兌日圓已升至98-99，繼續是3月的主要期權倉損失50%。另外，值得一提的是近期美元兌日圓迅速轉強，日本年結，資金回籠，日圓可能迅速轉強，這種現象對股市的影響要有提防。

大福證券網上服務投資顧問人
香港證監會持牌人

匯控3月期權Call 2772		
成交量	成交價H/L	行使價
301	4.35/3.80	57.5
1,369	3.17/2.65	60.0
1,247	2.25/1.81	62.5
1,724	1.55/1.13	65.0
1,839	0.95/0.78	67.5
1,082	0.60/0.48	70.0
221	0.34/0.29	72.5

2009/03/07

明年今天看匯控 (3/4)

　　期權一週的全城焦點在匯控，上月筆者對匯控的預計過於樂觀，因由在上幾期的《信報》週六日期權文章已寫到：若匯控公佈的消息會對股價造成大幅波動，應該事前要有預警，因為這是匯控的一貫做法。此次有別，高層的解釋是商譽撥備，故沒有預警。但筆者估計是衡量過，有預警可能會在 3 月 2 日前造成更大的波幅和震盪。筆者此次估計出錯較大，但在匯控的期權倉仍然有利潤，因為時間和策略運用得宜，但在此，也是要向各位讀者表示歉意。

　　匯控供股令本港股民沸沸揚揚，街頭巷尾都在議論，可見匯控對香港的影響，但願匯控高層聽到看到而且聞到，供股後從新起步，努力回報股民。週四晚美國 ADR 見匯控已跌至港幣 41.30，但週五港股是仍能站在 43.50，因此估計本月對匯控的沽壓應該開始減輕，理由是在此位沽出正股將損失股息以及供股權，除非能預計在下週有機會以更低價買回。若是要套現供股，應該看時段沽。筆者認為在供股權買賣的前一週可能是較佳的套現時段，因為要讓供股權賣得好，正股必須站穩。在城中富豪的影響下，供股會是主流，但如何供，賣部分加供部分，還是向銀行借錢供？不足一手怎麼辦，如何買碎股？供股權買賣是否值得？有許多問題，匯控股民都頗傷腦筋。筆者認為，即使不是匯控股民，這類知識也值得學習，因為涉及面廣而且是千載難逢。

　　為了讓各位瞭解本月的匯控大事，有提示如下，有誤請諒：
港交所匯控三月期權已開低至 $25。

《期權 Long & Short》之進階篇

新普通股可能每手不是 400 股，暫未公佈。

匯豐銀行及證券行可免一個月利息借錢供股，其後年息 1%。

以下是短期影響匯控股價的日子：

3 月 6 日恒指季度比重調整，從 12% 增至 15%

3 月 12 日匯豐供股除權日（即現有股東權利供股最後召集）

3 月 18 日匯豐第四季股息除息日

（即 18 日前仍持有股票者可享有股息，19 日買入則無股息）

3 月 23 日供股權在港交所買賣

3 月 26 日供股權分拆最後召集

3 月 31 日供股權最後一日可供買賣

4 月 3 日接納供股股份及繳付股款最後時限

4 月 8 日公佈供股結果

4 月 9 日新普通股正式買賣

OI 變化	成交量（張）	成交價 H/L	行使價	成交價 H/L	成交量（張）	OI 變化
			33	0.58 / 0.37	1500	1493
			35	0.94 / 0.79	1957	-488
			40	2.29 / 1.90	1956	-895
1131	1424	3.90 / 3.35	42	3.06 / 2.73	1463	-407
1192	1592	3.40 / 2.75	43	3.53 / 3.20	1302	-243
462	1393	2.39 / 1.79	45	4.70 / 4.14	1904	-960
3926	4492	1.63 / 1.00	47			
3068	4191	1.33 / 0.90	48			
830	1572	0.87 / 0.57	50			

（表：3 月 6 日匯控 3 月期權主要成交位）

本週匯控的引伸波幅又拉升至 70 以上，成交十分活躍（見表）。若不想接貨，可以 Short Put 四月 35，收 0.94（週五）因為看得最淡的大行唱 37.50。面對匯控股價如此新低，若想接貨，當然是 Short Put 等價，甚至中空價內。三月的波幅應該不會太大，散戶還是以 Short 倉為主導，有正股做 Short Call 價外也是不錯的選擇，因為本月升幅有限，若能保持正股享受股息和供股，又能收取期權金，何樂不為！當然，沽出正股後轉持 Long Call 也是很正統的策略，但是否適合自己，散戶要想清楚，因為倉位要大才有利潤。見三月 Call 47-48，每個位有四千多張成交，説明大戶看法是，若有反彈，此位可達。期權策略非常個性化，不可能一種策略眾人可取，不單散戶，大戶亦然。

筆者建議無正股的客戶除做期權外，還可採用以買兩手正股供 332 股加股息的方法（屆時約持有 3 手），若在 45 左右買正股，平攤後的股價約 39-40 左右。讓我們用一年的時間看匯控，明年的今天，説不定閣下會大聲講 I am proud of myself! 筆者並非看匯控的盈利增長有突破，但認為匯控會迅速地把商譽撥備回收！

今年的股票期權會很精彩，有許多賺錢機會，但再次提醒初學期權朋友，現雖仍處熊市，但要千萬小心 Naked Short Call，也就是無正股做 Short Call，因為若有什麼好消息，隨時抽升千點，屆時一鋪清袋，切記！

筆者反覆強調散戶朋友要見波幅而動，本週開倉的朋友應該會有安全的體會。『期權循環圖』四個方向已説明如何開倉，期權教室 www.cycleoption.com.hk 就是講解各種機會和風險。筆者下週五赴京城講期權，屆時會帶給大家豐富的內地財經見聞。

《期權 Long & Short》之進階篇

2009/03/21

　　事過境遷，2009 年筆者服務於大福證券，同年大福被海通收購。當年在《信報》以大福證券網上服務投資顧問發表的文章放於附錄作為紀念。

匯控期權策略（4/4）

　　作為一般散戶，本人今天與讀者磋商運用在匯控的期權策略。

　　此次匯控供股，是否傷害了小股民的利益，是否明益富豪包銷商，是否許多細節考慮欠妥，為甚麼事先沒有發盈警，管理層是否無能，等等，這些都不值得我們散戶花時間去做分析。記得比爾蓋茨的一句話：「世界上大多數事物都是不合理的，只在乎你是否接受。」

　　筆者一向十分欣賞匯豐，特別是匯控的公司文化，你可以通過得到金融服務體會到匯控的核心價值，專業、勤儉、實在、有理有節。不單是在香港，在世界各地：北美、南美、歐洲、中東、大洋洲，筆者都體驗過匯豐的銀行服務。比較之下，筆者深刻認為匯控可稱之為 One of the best in the world。理由何在，我們可看匯控的管理層，高層基本上都是在匯控服務超過 30 年或以上，這種忠誠度已令筆者堅定地投出信心一票。

　　雖然如此，但是本人一向不看好匯控股價，認為這是一個老人家股，成長動力有限，不值得長期持有，即使是跌破了 80 元，回到沙士價也不為心動，因為筆者做期權，選擇多，80 元的成本仍然太貴。但是上月在一片看淡聲中，匯控一舉跌至 50 左右，關鍵是引伸波幅一下子扯高至 80 以上，實為罕見！這對習慣做期權的人來說，是一種警覺，這可能是大跌的先兆，也可能是進貨的良機。筆者選擇了後者，以 Short Put 45 收 4.10 期

權金進場。策略的運用是若能在 40 元（45 - 4.10）左右收到正股，我願意！因為以匯控的規模，任何大行都難以用基本面做分析，預測匯豐的股價，因此出現了不同的觀點，最低看 28，也有高望 80。筆者的策略是，若認定匯控是良好的公司，股價從去年的高位 140 元，跌至今剩 30%，應該出現了投資價值。另外，由於本人習慣了持正股做期權，若能以 40 元持正股做，操作期權的成本大為降低。做 Short Put 是要準備資金接貨的，故筆者在有關講座提出，若匯控股價跌破 40 要接貨，本人將沽出 A50 轉投 05。最差策略準備是，若 40 元接貨，最低看 28，有 12 元的下跌風險，但若懂得做期權，3-4 個月，一般都可以收復失地。

宣佈供股前週五停市，筆者已感不妙。週一裂口下跌，低見 42.5，筆者密切留意期權變動，特別關注 45 Put 和 47.5 Put 倉的未平倉合約變化。筆者覺得若要成為股東，持正股做期權，想等 Short Put 45 接貨的機會不高，必須買進正股加供股，令平均股價在 40 元左右，所以筆者也以兩股為一組的方法，在 45 左右開始買進正股（預計供股後的成本在 40 左右），所以堅定地買進。多謝上兩週 A 股上揚，筆者能在 9.88 沽出 A50，為部署匯控的期權策略提供資金。

下週開始供股權證可以買賣，若在 12 元以下有交易，筆者還是建議按自己的能力買進，利用證券行的借貸也無妨。下月一旦持有正股，Short Call 將會是標準動作，裂口位 45-50 都是開倉範圍，Short Put 也無妨，Short Put 36 以下增加收益也可取，保持謹慎操作的原則。筆者上週文章《明年今天看匯豐》，是準備用 Accumulator 的時間（365 天）來操作匯控期權，本人會每週將操作匯控期權的心得與讀者朋友分享。

上週赴京講期權，想不到聽眾的層次頗高，有些來自金融機構，都具專業水平。交

《期權 Long & Short》之進階篇

談之中，得益不淺，更覺得香港股民真幸福，可能我們身在福中不知福。本文雖然筆者在此水平看好匯控，但不等於看好銀行股，特別是內銀股，筆者能給讀者的建議是，寧精選內房不增加內銀。目前階段，若能利用波幅減持更為可取。

目前筆者在《信報》是隔週六有文章與讀者朋友見面，下次再見是 4 月初。按上月提出的期權策略，本月利潤應該會令人滿意。筆者認為波幅目前仍然在窄幅中上下，出現大波幅的跡象未現（除非是個股），所以下月的期權策略還是與本月略似，要見波幅而動，也就是在期權教室堂上所講的動態做期權，並以 Short 倉為主導。本人觀點目前仍然是穩中看好，並且仍然認為 10676 應該是此次熊市的底，可能會再探，但再穿機會目前看來不高。

後記：匯控供股權，本週初人不在港，未能及時在 12 元買進，反而用 15.80 元買，不過只是買少許湊夠股數，無所謂啦，供股後的平均價將約為 40.88 元。上週五收市前，利用波幅收窄，以 0.5 Long Call 本月 45.37，本週二以 1.38 平倉，每股獲利 0.88。關鍵是考慮時間值的因素不能長持。因為預計三月能結算在 46 元左右已是不錯，也就是說，最多可能只有一元的內在值，所以平倉。但上週五同時也以 0.6 Long Call 4 月 50.93，準備持至供股完畢，執筆之時，該位已近 1.2。至於 Short Put 本月 45，除權後 41.67，相信一定全收。此匯豐期權策略，每週都會與各位見面，筆者計劃用 365 天（Accumulator 的合約期）以持正股做期權，觀察一年之成效。（本後記寫於 2009/03/28）

買賣滙控期權策略

杜嘯鴻

作為一般散戶，今天與讀者從商運用滙控期權策略，此次滙控供股，是否傷害了小股民的利益，是否明益富豪包銷商，是否許多細節考慮欠妥，為什麼筆者沒有發盈警，管理層是無能，等等，這些都不值得我們散戶花時間去做分析，記得蓋茨次的一句話：世界上大多數事物都是不合理的，只在乎你是否接受。

筆者一向十分欣賞滙豐，特別是滙控的公司文化，你可以通過到金融服務體會到滙控的核心價值，不單是在香港，在世界各地、北美、南美、歐洲、中東、大洋洲，筆者都體驗滙豐的銀行服務，筆者深刻認為滙控可稱為 One of the best in world。理由何在，我們可看滙控的管理層，高層基本上都在滙控服務超過30年或以上，這種忠誠度已令筆者堅定地投出信心一票。

雖然股價跌成如此，但本人一向不看好滙控股價，認為這是一個老人家股，成長動力有限，不值得長期持有，即使現在破80元，回到少土時代也不為心動。因為筆者做期權，選擇多，80元的成本仍然大賣。但是上月上升一片浪聲中，滙控一舉升至50元以上，關鍵是引伸波幅一下子拉高至80以上。實為罕見，這對習慣做期權的人來說，是一種警覺，這可能是大跌的先兆，也可能進貨的良機。筆者選擇了後者，以 Short Put 45 收 4.10 期權金進場，策略的運用是若能在40元（45-4.10）左右收到正股，我願意，因為以滙控的規模，任何大行都難以用基本面以做分析，預測滙控的股價，因此出現了不同觀點。筆者的觀點是，最低看28元，也有高望80元。

30%，應該出現了投資價值。另外，由於公司股價去年的高位140元跌至只剩本人習慣持正股做期權，若先以40元沽正股，操作期權的成本本為為降低。做 Short Put 是要準備接貨的，故筆者在有關講座提出，若滙控股價跌破40元要接貨，本人將沽出A50轉投005，最差策略準備是，若40元接貨，最低看28元，有12元的下跌風險，但若懂得做期權，3至4個月一般都可以反敗為勝失地。

滙控宣布供股前五停市，筆者已感不妙。周一裂口下跌，低見42.5，筆者密切留意期權變動，特別關注 45～47 Put 會的未合合約變化。筆者驚得若要成為股東，持正股做期權，想等 Short Put 45 接貨的機會會不高，必須沽正股加供股，令平均價在40元左右，所以筆者本也以兩股為一組的方法，在45左右開始做正股（預計供股後的成本在40左右），所以堅定地買進，多謝上兩周A股上揚，筆者能在9.88沽出A50，為部署滙控的期權策略提供資金。

下周開始供股權可以買賣，若在12元以下有交易，筆者還是建議按自己的能力買進，利用證券行的借貨也無妨。下月一旦持有正股，Short Call 將會是標準動作。裂口位 45～50 都是開倉範圍，Short Put 也無妨。Short Put 36 以下增加收益也可取。保持謹慎操作的原則。

筆者上周文章《明年今天看滙豐》，是準備用 Accumulator 的時間（365天）來操作滙控期權，本人會每局將操作滙控期權，操作的心得與讀者朋友分享，雖然筆者在此水平看好滙控，但不等於看好銀行股，特別是內銀股，筆者給讀者加內銀，目前階段是，若能利精描述內房不增加持股。目前筆者用波幅減持更為可取。

目前筆者在《信報》是隔周六有文章，下次再見是4月初。按讀者意見反映，本月利潤應該令人滿意。筆者認為波幅目前仍然在管理中，出現大波幅的跡象未現（除非是個股），所以下月的期權策略還是與本月略似，要見波幅而動，也就是在期權教室上所講的動態做期權，並以 Short 為主導。本人觀點為10676點仍然是此次熊市的底，可能會再探，但再穿機會目前看不高。

大福證券網上服務投資顧問
香港證監會持牌人

2009/04/04

　　筆者在期權教室講股票和期權的分別是：股票 Buy and Hold 期權 Buy and Sell。相對持有股票，期權是要經常開倉平倉的，若做得對，平倉是決定利潤的關鍵。所以，即使你開倉欠佳，但平倉絕佳，一樣令人滿意，但開倉絕佳，平倉欠佳，一樣令人失望。這就是進場是徒弟，出場是師傅。

買是徒弟　賣是師傅

　　上週六的期權一週〈宏觀看經濟　微觀看股票〉在期權教室（www.cycleoption.com.hk）的網上刊出，提及以 0.5 元 Long Call 滙控 HKC 3 月 45.37（編著：HKC 為特別的期權代碼，由供股除淨前的 HKB 經資本調整後所產生。由於行使價被調整，所以不是常見的齊頭數），以 1.38 平倉，先行獲利 0.88 元 / 每股。3 月結算，Short Put 3 月 45 元（等於 HKC 41.67），收到貨，十分高興。4 月 3 日以 46.1 沽出一半正股，再獲利。另一半做了 Short Call 4 月 52.5，收 1.28，因為相信滙控的引伸波幅會扯高至 70 以上，也希望該月能以 53.88 出貨，完成第一輪的滙控期權策略。另外，以 0.6 元 Long Call 4 月 50.95，也以 1.4 平倉，每股獲利 0.8 元。目前倉內還持有 Short Put 4 月 44 元（等於 HKC 40.74），此位收 4.5 元 / 每股。

　　細心的讀者會發現，筆者做的期權平倉價，和現貨出貨價，都欠佳！未能做到靠近最高價，這也是說明了「買是徒弟，賣是師傅」的道理。目前為止，筆者雖然在滙控期權策略上每步都錄得利潤，但比起市場能給予的利潤，相對偏少，還未達到師傅的境界，仍需不斷修練。

2009/08/22

期權教室堂上講開 Short Put 是散戶的第一步,但要計算的是在什麼價接貨會令閣下開心,你是否準備接貨,還是只賺期權金,這都是技巧。

壞消息出臺時　才是 Short Put 好時機

沒有股票有現金 Short Put 當然是首選,但應該堅持看『跌有限』的原則,一定要看個股的不同情況。同一個市況,可能是某股剛開始下跌,某股已是『跌有限』。因為我們可能會面對較長的中期調整,此時此刻持有股票有利有弊,利是持有股票,可以 Short Call 增加收益,弊是持有股票,萬一調整幅度大,可能會輸頭籌。

港人都喜歡內銀股,對此,筆者有如下的見解。大家都知道這次 A 股的升浪是資金製造的,負面因素難免。為了不讓潛在負面因素擴大,中央審計處 9 月進行貸款大審查,可以預計有問題是必然的,所以當壞消息不斷出臺時,才是 Short Put 內銀的好時機。

2009/09/05

操作期權是講絕對回報,也就是不論大市升跌都應該進賬,所以選股十分重要,按教室堂上所講:「少而得,多則惑。」

調整市中股票期權的優勢

為甚麼在調整市中,股票期權有優勢?因為在牛市中,只要持有股票,人人都賺錢,熊市中只要你能及時沽出股票,跌市應該與你無關。何須麻煩學期權,又要 Long 又要

《期權 Long & Short》之進階篇

Short。但在調整市中,不論你是持有股票還是持有現金,做期權的許多機會都在你身邊,你不去利用機會,不懂利用期權,很可能是閣下的另類損失。

從 2009 年 8 月 4 日的最高點 21196,調整至今,最低曾見 19425,調整波幅 1771 點,對恒生指數來説,調整波幅實在有限,所以,本週中段,場內等價期權的引伸波幅,已低見 28-29%。但在這段期間,股票期權則十分精彩。

舉例短線用 Long 獲利。2009 年 8 月 6 日,中移動 /941,在公布業績前,股價突升至 87 元,成交也配合,第二天成交繼續大增,但股價是先高後低呈陰燭,而且是在保利佳通道上軸外,隨後兩天雖然再攀升至 92 元,但成交已明顯下降。公布業績時(8 月 20 日),並未給市場帶來驚喜,當日應該是做 Long Put 的好時機。Long Put 9 月 75 元,支付期權金 1.60/ 每股。9 月 2 日,當股價下跌至見 74 時平倉,期權金 3.40/ 每股。因為股價跌穿 75 元,Delta 已在最有效的時段。2009 年 9 月 2 日,平安保險 /2318,跌至保利佳通道下軸 56.55,開始出現明顯支持。當時建議 Long Call 9 月 62.50,支付期權金 0.70/ 每股,昨天股價雖然最高只見 62.10,但該行使價平倉時是 2.09/ 每股。

做 Short 亦然。持有現金用 Short Put 買進股票也是時機。中人壽 /2628 是港人愛股,這段時間一直都跌不穿 8 月 18 日的低點 31.5,成交還略升,説明承接力甚強。特別是在 9 月 2 日的跌勢中,恒生指數跌至近期低位 19425 點,但中人壽 /2628,反升 0.65(開 31.80/ 收 32.45)。既然跌不到 31.5,若想買進,策略上應該以 31.5 為目標,因此 Short Put 9 月 32.00,收 0.70/ 每股,也就是説,願意 31.30 進貨。這種方法對現金持有者很有利,是可攻可守的策略。

至於 Short Call 是比較簡單的策略,上月初已作出建議。因為只要持有正股,Short

Call 的風險極為有限，但開倉的時間比較講究，特別是希望長期持有正股的朋友，希望通過期權金賺多些，應該看看『期權循環圖』，在認為『升有限』的階段，選擇期權數據對自己有利時才出擊，勝算更高。

筆者提倡網上買賣股票期權，若有不明之處，可以來電郵詢問。筆者建議初學者選易不選難：第一，一定要做自己熟悉的股票，對其股價心中有數；第二，行使價比較統一，如中人壽 /2628，50 元以下都是一元一格，方便記；第三，每手的股數簡單，如中人壽 /2628，每手 1,000 股，方便計算。

若閣下經常實踐，你一定會有成績。

2009/10/03

這是一篇散戶必須細讀的文章。

筆者在期權教室堂上經常講三國演義，中國四大名著，能令筆者反覆看幾次的就是這本。話說三國期間，劉備和孫權聯合抗曹操，劉備派孔明（諸葛亮）協助孫權，孫權的軍師周瑜當然妒忌，所以故意下令要孔明造箭，時間之速，根本無法完成。但孔明卻天天飲酒彈琴，不理周瑜，小心計算時令，利用江南早春晨霧，用草船擊鼓駛近曹營，曹操大驚，發箭抵禦，孔明直到草船兩面受箭後才返航（細節非常精彩），並高呼：「謝丞相箭」（當時稱曹丞相）。箭射草無損，回收後如期交箭給周瑜。此次兩位高人軍師過招，周瑜終於飲天長嘆：「既生瑜，何生亮！」（既然有周瑜為何會有諸葛亮）

孔明借箭做股票期權

　　股票期權有別於指數期權，股票期權不能做對沖，但由於可以選擇不同的股票做，所以靈活性更高。股票期權經常可以用「孔明借箭」：基本策略就是用 Short 的錢去做 Long，但運用不同的股票。期權教室網站有當時的詳細文字，簡述如下：

　　結算前 9 月 28 日，週一，跌市！由於 9 月 26 日，週六日，有匯控總部回港的正面消息，匯控 /5 理應股價站穩，但當天還是下跌。中電訊 /728，也反覆下跌至 3.60 的水平。

　　若閣下認為匯控應升不升，反而下跌，有背馳，可以做「末日期權 Call」。也就是 Long Call 九月等價 $87.50，只看一天的升幅。該行使價當天最後成交期權金為 0.51/ 每股（該位當日有二千多張成交）。買賣心態是：若 9 月結算收在 $88.01，保本，高於 $88.01，則全是利潤，若收低於 $87.50，便輸掉全部期權金。Double or Nothing，24 小時見分曉。我們簡單以十手計，每手成本 $0.51 × 400 × 10 = $204 × 10 = $2,040。9 月匯控 /5 收市多少，大家可以自行計算。

　　但是，輸掉全部期權金的風險對散戶而言可能難以接受，所以你可動腦筋用「未來利潤」做。何處有？向 Short Put 求！中電訊 /728，在臨近收市時，Short Put 11 月 3.40 每股收 $0.11，做 10 手，$0.11 × 2000 × 10 = $220 × 10 = $2,200。Short 足本錢（$2,200）做 Long（$2,040），你的最大風險是用 $68,000 以 3.40 接 10 手中電訊 /728，這是假定輸掉全部 Long Call 的期權金。若 Long Call 有利潤，你的最大風險是用 $65,800，以 3.29 接 10 手中電訊 /728，($3.40 - $0.11) × 2000 × 10 = $3.29 × 2000 × 10 = $65,800。

作為保守的投機者，這個「孔明借箭」策略應該可以接受。

網上買賣股票期權將在港流行，應該搞清楚的事項也多，今天回答常見問題一則。

《期權 Long & Short》Q & A 之隨筆

問：Covered Call 與 Short Call 有什麼分別？

答：這是典型的股票期權問題。

Covered Call：閣下持有股票，並將股票放進證券行的期權戶口，鎖定為你的抵押品，當您開 Short Call 時，你不能沽出股票直至期權到期日（你可中途改為付出期權按金而解鎖抵押品）。但原則上你是不需付按金就可以收取期權金，可是當股價升穿你的 Short Call 行使價時，你可能要交出你的股票（最大風險）。升不穿，你收期權金。

Short Call：閣下你並沒有股票，但你做 Short Call，你需要付出按金去收取期權金。這種方法等於是無貨沽空（Naked Short），當股價升穿你的 Short Call 行使價時，你可能被迫要在市場上立即買進股票並隨手交出股票。一進一出，不單輸股價，費用也昂貴，風險頗高。升不穿，你收期權金。

《期權 Long & Short》之進階篇

2009/10/17

　　期權，特別是股票期權，是非常值得各位化些時間去研究的金融產品，雖然如此，但一些基本規則必須嚴格遵守，這樣才能做到常青。

十月期權高位結

　　2009 年 10 月的期權市場已進入月尾階段，還剩下週三個交易日，本週五是升市，上午時段 22800 和 23000 Call 就已有過千張成交，應該是主動平倉盤甚至加反手，大戶的招式千遍萬化，盤路看，十月有能力結算在 22600 附近。作為散戶，檢查各個倉位，只要結算不上穿 23400，不下破 20800，本月又是一個可以開紅酒的日子，可能還要感謝主。

　　但是還見個別朋友仍然錄的虧損，而且主要是股票期權，筆者在此有心得與讀者分享。

　　我們可以從整體期權市場來看，股票期權的風險應該低於指數期權。因為從 Short Put 要接貨的角度看，接到的是沒有時間值，也沒有時間性的藍籌股票，何懼有之！但若做倉過多，超過了自己的資金接貨能力，這可以是很大的風險。再從 Short Call 的角度看，若無貨沽空，一旦被執行，其風險更甚於 Short Put。

　　筆者在《期權 Long & Short》一書中已提及，香港的期權交收制度決定了不能把指數期權的策略用於股票期權。因為指數期權是現金到期交收，Long & Short 可以做對沖，因而可以產生各種補救策略。而股票期權是以股票做交收，對沖策略不易運用，解決不了要接貨和出貨的心理壓力。因此，操作股票期權時的資金管理十分重要，由於按金便宜，

散戶很容易把倉位做大，一旦開倉過多，往往就會在股價最高位時平 Short Call 止蝕，又會在最低位時平 Short Put 止蝕，過不了自己的心理關。大家要明白，以目前等價引伸波幅 25-26 計，指數日波幅達 3% 以上不容易，但個股 5% 不難。

對散戶而言，筆者認為，買賣期權，學習『期權循環圖』是最基本的實戰方法，再加上掌握正確的期權操作理念，明白了有貨在手和無貨在手的開倉策略大不相同，閣下應該可以做到輸少贏多。筆者在此也希望有期權買賣經驗的朋友多些撰文，令市場上多些期權投資的文章，香港的期權市場可能會更興旺些。

港交所 11 月 2 日起，對股票期權的行使間距之規則進行修訂，這無疑會活躍市場，增添成交，有關這方面的心得，下回與讀者分享。

2009/10/17

筆者認為此文寫得非常好，因為每次翻看此文，自覺汗顏。

此篇文章建議做股票期權的人士必讀，因為這才是真正的分析師，若閣下得到的資訊是來自這樣的分析師，你一定要重視！

向日本分析師學習

上週四，在香港銀行家會所，一個頗有品味的演講場地，舉辦了一場由日本岡三證券主持的經濟研討會。參與者多數為在港的日本人，但也有不少本地華人和少數歐美人士，現場配備同聲傳譯，不見有語言問題。筆者有幸參與其中，獲益不淺。

《期權 Long & Short》之進階篇

　　第一位講者是 Matsumoto 先生，他是一位很善於辭令的人。在宏觀面他對日經並不看好，演講中雖然他對日本目前的政治新局面落墨不少，但他始終認為，此時此刻大多數日本人還是生活在對將來缺乏信心的狀態中，與過往並沒有明顯的改變。在這種社會氣氛中，日本的內需是很難抬頭的。因此，過去一直帶領日經的出口股，仍然是日經的領袖，難被內需股取代，這種現象也不會輕易改變。

　　雖然謹慎樂觀，但也不乏明日之星。他認為環保電動車將很快進入大批量生產期，2009 年可稱為電動車時代的第一年，從明年開始，各大車廠的電動車都已計劃進入批量生產，日產更定出了 2012 年生產 200,000 台的目標。Matsumoto 先生並不是單獨介紹汽車股，反而是指向另一面，建議大家留意可能會受惠的三大產業：電池業，電機業（傳統汽車是發動機，電動車是電機馬達）和充電設備業。

　　在他的演講中還有以 LED 為題的分析，遺憾的是時間有限，被迫腰斬。對 LED 的分析可能對港人十分重要，因為政府目前正在推廣節能燈（節能燈不同於 LED），筆者很多年前就開始使用節能燈，可惜的是不愉快的經驗居多。

　　更令人印象深刻的是第二位講者 Nishitsugu 先生，他能講一口流利的普通話，臺灣口音明顯。他以日本人看問題的方法分析中國股票，其獨到之處，是值得我們學習的地方。

（圖：日本分析師 Nishitsugu 先生）

Nishitsugu 先生做了不少宏觀的分析以及對目前中國社會客觀的描述。但在分析個股時，提及紫金（2899）。他說，在親臨紫金訪問時，他十分留意周邊的環境，當汽車經過河流，他要求下車，觀看水質是否被污染，但他發現水質清澈，還有魚游。這說明當地政府和企業本身早已對環境問題採取措施，並非外間報道金礦產區已被嚴重污染。這種企業能如此重視環境問題，應該投其信心一票。

在尋找能為 GDP 帶來成長動力的股票的同時，他也提及教育產業，New Oriental ADR（該股只有 A 股，還未到 H 股）。他認為，雖然這只是一個英語的教學機構，但英

語將會是中國年輕人必備的語言條件，將會是一種社會的基本需求，十分值得看好。筆者也認為，憑香港的條件應該努力爭取在中國的教育產業中分一杯羹。

　　會後與 Nishitsugu 先生交談，筆者直截了當地問，你所介紹的中國股票是否都曾親臨現場，並與領導層交談。他的回答是肯定的。他說不單曾經拜訪，而且基本上每年一次，不是他本人也是他的團隊。筆者讚賞他認真負責的工作態度，他回答說，我要向許多日本散戶推薦中國股票，我必須這樣做！

　　綜合兩位講者的內容，筆者最欣賞他們細致的準備工作和作分析的獨到之處，再加上研討會組織的有條理，效果十分好！研討會的下半場是日式的雞尾酒會，各位到訪者相互舉杯交流甚歡，令該講座舉辦得頗為成功，若酒會期間還有和風音樂輕奏，可能會更完美。可惜筆者當晚要回期權教室授課，不得不提前離場。

　　香港銀行家會所，一個頗有品味的演講場地，今年年初筆者也曾經在此任講者之一，討論金融海嘯後香港 Accumulator 的問題，但從演講的內容到組織的細節，相形之下，自覺汗顏。

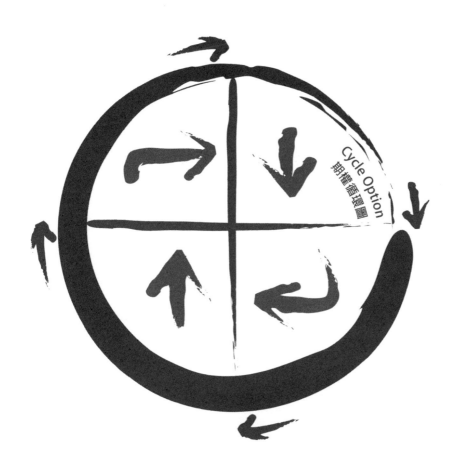

Cycle Option
期權循環圖

股票期權
2010

2010/01/23

　　操作股票期權，對持有股票的態度十分重要，若閣下主力是要賺股價升幅，可能要 Buy and Hold，但若如本人是以賺期權金為主，可能是用 Buy and Sell，也就是用 Short 的策略。

　　本篇是寫於聖誕前夕，期權教室有一個聖誕小禮物送給各位，這是關於科斯托蘭尼短片，內容是筆者看書後整理而得，各位不要錯過上網領取。

上落市中的股票期權策略

　　前兩週的文章題為〈攻上難　退下難　期權勝算〉。理由是進入 2010 年，整體大方向是在延伸 2009 年底產生的趨勢，大市波幅收窄，市場情緒敏感，指數期權較難開倉。

　　但股票期權則甚有作為，由於股票期權是以股票實物交收，風險在股票持有或不持有。香港期權市場的交收制度決定了指數期權和股票期權要採用不同的策略，筆者在《期權 Long & Short》書中已有具體描述，不贅。讓我們用港人愛股中人壽（2628）為例，其 IV 與指數 IV 相若，約 23-24，但策略大不相同。筆者中人壽股票在 36 元被 Call 走，只能每月做 Short Put 賺一些期權金。2009 年 11 月，中人壽第一次再上穿 40 元，筆者建議期權教室的朋友若持貨，就可以 Short Call 39，收 1-2 元的期權金，值得短期在 40 元走一回，因為 2008 年 1 月在 40 元是一個重要的「蟹貨區」，回吐必然。本人則「空手道」Short Call 44，收 0.8，0.3 平倉，獲利 0.5，加上 Short Put 獲利 0.8，共 1.30/股，11 月達標。2009 年 12 月，已有 Short Put 38，收 0.8 在手，又一次上穿 40 元時 0.3 平倉獲利 0.5，再「空手道」Short Call 46，收 1.10，回落時 0.5 平倉，獲利 0.6，又反手 Short Put 38，收 0.6，全收。12 月三次獲利共 1.70/股，12 月達標。2010 年 1 月要接 12 月 Short

Put 38 的貨，備用金早已準備，立即派上用場。1 月初升穿 39 元，由於正股在手，不必客氣，Short Call ATM 39，收 1.10，開始回落時在 38.60 沽出部分正股，保持利潤，平Short Call 0.10，獲利 1.00，Short Put 37，收 1.10，並在 36.00 的水位買進部分正股，因為正股在 36 元被 Call 走，目前仍持有 1 月 Short Put 37 收 1.12。1 月的結局如何，可能未如理想，且看下月分解。

　　細心的讀者會發覺，以上做的都是輕微價外，甚至等價，由於持有股票或持有現金，故風險十分有限，反而是在這種窄波幅中的獲利機會。不過，有一點必須說明，對本人而言，在操作股票期權的戶口，股票本身只是用來每月賺錢的原材料，沒有長期持有的意義。當然，在股票戶口，Buy and Hold 是需要的。

　　筆者常用一代大師科斯托蘭尼的金句為自己操作時的座右銘，也時常在文章中採用，如主旋律，情緒＋貨幣因素等。本人十分建議香港散戶向這位老人家學習，時值聖誕前夕，期權教室送上一份小禮物，請自行上 YouTube 領取：http://www.youtube.com/watch?v=Dk5mxnl6ITM。Enjoy！

2010/02/20

　　在期權教室講股篇期權的搬倉是個標準動作，每人幾乎都要面對，特別是以 Short 倉為主導的倉位。筆者的搬倉觀點是：面對虧損的策略。既然是做錯方向，面對虧損，就不應該擴大風險，要在有限的風險內降低虧損。

　　內文提及「贏有限輸無限」，這是香港交易所早期推廣期權的廣告語，

觀點是開 Short 倉將會面對「贏有限輸無限」。其實,這是十分錯誤的觀點,筆者在《信報》多次發表批評文章。

股票期權搬倉策略

上兩週應市況講指數期權,由於版面有限,有關恒指的文字和相關的 3 幅圖片未能一起刊出,文章內容顯的蒼白,十分遺憾。今天,市況似乎略微回穩,我們再講股票期權。

2010 年 1 月可以說是小型股災,雖然說是政治因素,但市場敏感,導致跌勢一發不可收拾。全月跌幅有 1504 點(開 21860 −收 20356),月波幅達 2748 點(高 22671 −低 19923)。許多做了 Short Put 的倉位都面對各種要做決策的問題,在具體操作中與不少朋友交流,看到心理因素比基本面和技術分析更重要。

讓我們再以中人壽(2628)為例,筆者一月以 38 元接貨,Short Call 39,收 1.10,以 0.10 平倉。Short Put 37,收 1.12。正股在 38.60 沽出。在一月底,中人壽的股價已大幅低於 Short Put 位,在 34.00 附近,內在值也已達 3.00 左右。若選擇搬倉,也就是平 Short Put,當月每股立即輸約 2.00(3.00 - 1.12 = 1.88),或實際每股輸 1.00(由於 Short Call 已收 1.00),然後再開二月 Short Put。但也可選擇收足 Short Put,準備接貨,二月的接貨成本是 37.00 - 1.00 - 1.12 = 34.88。當然,若是先知,就會平一月 Short Put 而不開二月,等月中股價跌至 32.50 時買進正股。

如何做決策?這是許多期權操作者的心理問題。見不少朋友處於不利狀態時,心情過於緊張,可能是受所謂「贏有限輸無限」的影響,在最不利的時間和價位上止蝕。在期權教室上堂時講要用「少則得,多則惑」的心態做股票期權,也就是說不要做多,要少而精,若你能做到對正股有中短期的看法,對正股的各種基礎分析指標了解而且牢記,

功課做足，閣下的回報可能就是期權金。我們必須承認買賣期權是某種程度的投機行為，既然要做投機者，就要有投機者的心理質素。看準了目標股，策略早已制定，不可能天天都將自己處於患得患失之中。另一種現象就是開倉過大，不論 Call / Put，都遠超自己的付貨能力和接貨能力，這是期權教室最不建議的方法。

對中人壽（2628）的分析在此不贅，不過筆者採用的是後者接貨，因為手中已無多少貨，另外，是基於這幾個月已累積了不少期權金，利潤仍豐，真正的接貨價是十分低的，是有期權金的本錢接貨（不是本金）。只要大市略有反彈，就可以開 Short Call ATM，進一步降低成本。中人壽（2628）按昨天收市價計，還未進入 1 元的虧損，目前在等機會開下月 Call。

不過，二月份的正現金流減少，只是在 38.60 沽出時產生的 0.6 微利。在《期權 Long & Short》書中提及做期權 2-3%、5%、10% 的回報目標，按目前中人壽（2628）的股價，每月收 1 元就是約 3%。若將上月和本月平衡，還是可以達標。以目標利潤制定策略，也是期權教室一貫提倡的方法。

當然，也有不少朋友選擇搬倉，這是基於手中有貨不想多接，或認為還有大跌的可能等等因數，筆者完全認同。在上堂交流之中給的建議是；若決定搬，不妨月底，巧用時間值。另外，重要的是必須自我控制不隨便加倉，因為這將會製造你真正的風險。

2010/03/06

　　這是一篇頗有趣的文章，一直是期權教室的上課內容，建議細讀，看清每一步是如何做出來的。招行的歷史股價有些問題，不同的報價系統相差頗大，看此文的關鍵是要學會如何做機會投資者——Opportunistic Investor。

　　為了方便各位理解 2007 年底的市況，筆者提供當時的恆生期權 Call 的 IV，大家可以想像當時的瘋狂。

Nov 2007 HSI Strike	Call Option IV
31000	83
31200	87
31400	91
31600	95
31800	99
32000	103

　　各位可以再看 2007 年至今的月線圖參考。

一個美麗的期權故事又開始

　　招行（3968）是筆者的舊愛，從 IPO 開始持有，中途也有多少買進。筆者在 2006 － 2007 年間，於不同的講座上做分析，都有推薦該股。招行在內地信用卡的面是向日葵，筆者做分析時經常顯示該卡，並說明這是向著太陽的金花，但願不是日落後的黃花。招行當時的主力是做內地中高層的信用卡生意，筆者做分析時是將招行與 1980 年代的 American Express 相比，因為 AE 是 80 年代高端消費者的身分象徵，是非常成功的有全球概念的金融消費公司。因此，看招行要看高一線，其共性當然是內銀股，但其特性應該是內地金融消費股，中國最具潛力的行業。

但當招行股價達 28 元時（2007 年），筆者發覺不妥，因為若升穿 30，當時其 P/E 將達 60-62 倍，幾乎是 80 年代日資大銀行的最高水平。當時可以享受 60 倍以上 P/E 的日資大銀行都是擁有龐大的優質日本出口企業的股票，而招行呢，Plastic Money（信用卡）。所以，當時 Short Call 輕微價內 28，收 1.68。結果是全部股票被 Call 走，等於 29.68 出貨。所以招行對筆者來說不是 3968 而是 2968，這也就是筆者在期權教室 B 堂講的 Short Call 故事。

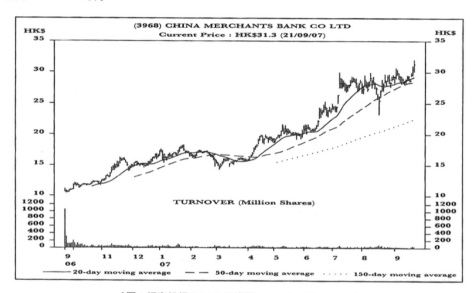

（圖：招商銀行（3968）日綫圖—2006/09 至 2007/09）

招行近年十分勇猛，涉足人壽，併購銀行，經營的難度在增加，但招行勝在歷史包袱不重，可以輕裝上陣，迎戰風浪。

《期權 Long & Short》之進階篇

筆者曾在《期權 Long & Short》書中提及，期權操作是機會主義者（Opportunistic Investor）的樂園。所以，前兩個月傳聞招行要集資，但具體方案不詳，股價裏足不前，筆者認為可能是機會，因為有生意做才需集資，應屬正面，反正無貨在手，持有多少無妨，因此 Short Put 19/2 月，收 1.15，也就是說若在 17.85 收貨，是最高價 30.75 大約不到 60% 的水平，應該可以守。

二月底，集資方案明確，是供股，但當時股價已回升至 18 以上的水平，筆者擔心 Short Put 19/2 月可能接不到貨，可是若要有供股權，必須有現貨，所以在 18.68 買進現貨，結算前以 0.15 平 Short Put 19/2 月，以防萬一要接貨造成資金不足，即時獲利 1 元。

（圖：招商銀行（3968）日線圖 — 2009/12/08 至 2010/03/05）

供股方案明確，方案是 10 供 3，每股 HKD10.06，股價走勢越趨正面。見此，開 Short Put 18/3 月收 0.5（對於 18-19 元的股票，0.5 就是約 3%）。

該股 3 月 5 日停牌，停牌收 20.70，3 月 11 日配股，3 月 15 日復牌。對投機期權來說，這應該是做 Short 的機會，因為停的時間越長越好。於是開 Short Call 21/3 月收 0.5，若 3 月股價升穿 21，筆者十分樂意以 21.50 出貨。當然，最理想是現貨還在手時已經開始供股，屆時可以連同供回來的 Rights 股一起出走。

正股若被 Call 走，不計供回來的 Rights 股，兩個月時間運用期權獲利的幅度應該可以接受，具體的數字是約 4.32 元，18.68（買入價）- 1.00(SP) - 0.50(SP) - 0.50(SC) = 16.68（成本），若出貨在 21 元，利潤為 2.32 元（21-18.68）。若不被 Call 走，對筆者來說，1668 又一個新數字的開始，不單美麗而且美妙！參與供股後就是 1515（16.68 x 10 + 10.06 x 3）/13。若有不明，可電郵本人。

2010/04/17

筆者在《期權 Long & Short》書中第二章〈期權主要數據的分析與運用〉中有〈Row data and Raw data〉的文章，當時報價機還沒有 ATR/n，所以沒有收進。這指標雖然是 Row data，但這是專門用於波幅的數據，頗有參考價值，值得各位學習。

操作期權可試用 ATR/N 值

近期看了一本書，《海龜練金術》（Way of the Turtle），書名取海龜，但其內容與命名並不見有寓意，可是書中強調的 ATR（Average True Range）/N 值則頗有實用價值，

《期權 Long & Short》之進階篇

這可能是交易員千錘百煉的買賣精華，因為這是賺錢的海龜必定要使用的工具。

十分明確，ATR/N 值是一個波幅指標，我們操作期權大多都會看美國的 VIX 和港股的 IV，而 ATR/N 值可以提供另類參考，制定策略時對選擇行使價和考慮期權金時有幫助。（註：本指標在期權教室 R&R 堂上會詳細分析算法及相關期權操作示範。）

ATR/N 值（又簡稱 N 值）是以現價計算，代表 20 天相關資產價格的波幅平均值。其計算公式也十分簡單易明，只是計算每天的最高點和最低點以及收市價。

首先要有即日真實波幅 /TR（True Range）：

即日真實波幅 /TR（True Range）＝ 最大值 / Max（H－L, H－PDC, PDC－L）

H (High)＝ 日高，L (Low)＝ 日低，PDC（Previous Day's Closing）＝ 昨日收市價

今日 N 值 ＝（19 × PDN + TR）/20，其中 PDN（Previous Day's N）＝ 昨天 N 值

由於是計算波幅的工具，筆者認為若稱之為，20 天波幅平均值，更為明確。

海龜法是用 N 值制定策略，基本以 1-2 個 N 值做標準，包括持倉數量，止損，加倉等等。可是進出市場，是看 20 天及 55 天線，進出市場方法不是本文的主題，本文的內容只是討論決定進場時，如何試用 ATR/N 值作為選擇行使價和考慮期權金的標準。以中人壽 /2628 為例，4 月 16 日收 37.65。ATR/N 值是 0.756（見圖）。

若做 Short，海龜法是以 2 個 N 值看波幅區域，那我們可以用兩個 N 值作為目標價去選擇行使價，有正股做 Short Call 39.00，因為 37.65 + 0.756 × 2 = 39.16。有現金，可以 Short Put 36.00，因為 37.65 - 0.756 × 2 = 36.14。

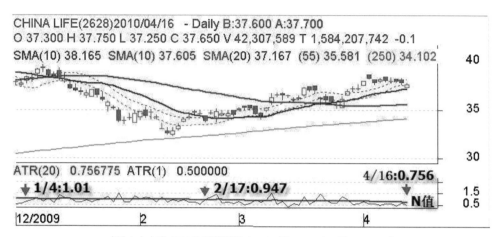

（圖：中人壽 (2628) 日綫圖及 ATR/N 值—2009/12 至 2010/04）

　　若做 Long，以海龜法嚴格的進場標準，基本上是在有優勢的條件下才開倉。因此，我們用 Long Call 進場，以半個 N 值或一個 N 值為 Long 輕微價外的行使價，因為目標是看兩個 N 值，但離場時的 N 值應該是以進場時的 N 值計。看升 Long Call 38.00，因為 37.65 + 0.756/2 = 38.02，39.00 離場，因為升了接近兩個 N 值（39.16）。Long Put 亦然。

　　期權金的收入與 ATR/N 值也頗有關聯，中人壽 2010 年 2 月以前的 ATR/N 值都在 0.94-1.01，所以我們可以要求每月 1 元左右的收入，可是此刻只有 0.756，我們不得不降低標準，不能硬性追求利潤而冒大風險。

　　電資訊（TQ）的報價系統可以設置 ATR/N 值，此圖取自電資訊，期權教室的課程也可能會和電資訊合作提供相關的內容指導，讓有興趣的朋友們試用，詳情請留意期權教室的通告。我們正在處於一個終身學習的時代，能讓我們賺錢的新事物都要花些氣力。

《期權 Long & Short》之進階篇

2010/05/15

筆者極力建議初進場者做股票期權，若是從筆者的觀點是 Short Call 不怕出貨，Short Put 不怕入貨，因為這樣準備才是大多數人可以具備的心理質素，若每個開倉動作都具風險，就不符合筆者華爾街朋友對筆者的評價："Humanized Option Trade"。

沽出股票後 Long Call 與沽出股票後 Short Put（2628）

又到 5 月中，想起 2009 年 5 月 16 日筆者在《信報》的文章〈Long 股票期權 搶摘五月花〉，記得該日稿件發出後，就立即收到當時《信報》記者彭小姐的回覆："Good Article"。得到讚賞不容易，筆者開心至今，所以今年 5 月要加倍努力延續去年的故事。

在 ABCD 堂講四大策略，簡述了 Long Call 的用法，在一般情況下，是看『大升』，但也各種技巧性的策略，其中之一就是在升市中沽出股票，用利潤持 Long Call 看後續的升勢。筆者 2009 年 5 月取題為「搶摘五月花」，道理是要先行獲利，鎖定利潤，用利潤 Long Call。堂上也有簡述 Short Put 用法，在一般情況下，是看『跌有限』，但也各種技巧性的策略，其中之一就是現金在手用 Short Put 買進股票，繼續看漲。我們以中人壽（2628）為例分析。

2009 年 4-5 月中人壽經過 3-4 月份的急升，股價從低於 20（最低 19.60）升至近 30（最高 28.90），到了要考慮用期權套利的機會。若懂得操作，應該提防回吐，獲利為先，在 28 以上沽出，但同時用利潤 Long Call。有讀者問，若是，如何選擇月份與行使價。我們先從心裡分析，由於利潤已在手，給錢 Long Call 的目的是萬一股價繼續上升，還有

利潤收入。期權教室提倡做 30-50 天的期權，因此，應該做下月。行使價的選擇應該是取遠不取近，因為你已經在自己認為的高位沽出股票，此策略只是準備萬一股價繼續上升，並非認為『大升』，故不能動用太多利潤，行使價選擇 30，約 2N 的水平（2009 年 5 月的 ATR/N ＝ 1.05）。在這種情況下不能簡單地計算打和點（Breakeven Point），因為看打和點不是此策略的目的，此策略是為了萬一股價繼續上升，Long Call 仍然能會帶來利潤。筆者經常在教室講，投機人士最不開心的時刻不是輸錢，而是別人賺得多，自己賺少了。

2010 年 4-5 月中人壽經過幾個月份的升勢，股價從低於 30（最低 32.25/2 月）升至靠近 40（最高 37.85/4 月），又到了要考慮用期權套利的機會，若持有正股當然會開 Short Call。當股價回落時，可以沽出股票，然後開 Short Put，這是利用波幅賺錢。Short Put 的目的是希望重新持有股票，所以要取近不取遠。要算打和點，也就是接貨成本，但無需太看重接貨成本，因為這是在有利潤條件下的接貨。如在 37.50 沽出，可以開 Short Put 4 月 36 收 0.3-0.5，力爭接貨（理由在後），或 5 月 35 收 0.7-0.9。由於 ATR/N 值小，約 0.75，再加上中人壽行使價是每一元一格，所以 36 已是近價。別小看這些期權金，比起長期持有股票又不懂操作期權的朋友，你的利潤足以令閣下心情愉快，因為你賺得比別人多。Short Put 4 月 36 的理由是：若 4 月 30 號前有貨在手，還可以享受股息約 0.7/每股，何樂不為！當然，股息只是給期權操作者的 Bonus，此帳不能常算。筆者 37.5 沽出正股後，Short Put 4 月 36，接到貨，成本是 34.3。計算如下：36.0 - 0.7（Short Call 38）- 0.3（Short Put 36）+ 0.7（Div）= 34.3。當然，若是先知，也可以在 5 月 7 日以 33.45 買入正股。

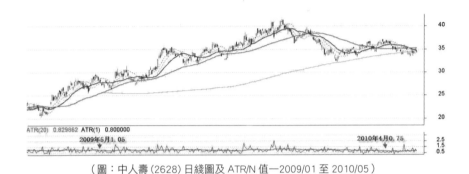

（圖：中人壽 (2628) 日綫圖及 ATR/N 值—2009/01 至 2010/05）

2010/07/03

在期權教室講期權時，筆者十分強調一定要有現金在手，在任何市況下都可以出擊，這樣才是真正的期權操手。

用基金策略操作個股期權

在眾多基金開始籌集資金時，都會標明該基金的主要策略或該基金經理的投資取向。比如說是專注長倉或短倉及長短並用，也有的是跟蹤某種指數或商品期貨，種類繁多可供選擇。若閣下細看，會發現有一種稱之為專做「環球突發事件」的基金。看完這種基金的操作方法，你會覺這是一艘滿載鈔票的航空母艦在環球航行，它不是為了平息事件，而是要即時發現事件，射出銀彈，擊中獲利。這是一種頗為有把握的短線投機策略，當事件恢復平靜，就會離場。可是難就難在如何判斷事件，以及在適當的時刻出手。這種基金一般是沒有回報保證的，所以相信問津的人也少。

但是在香港，作為懂的操作期權的散戶，只要能理性地控制好自己的倉位，完全可以建立自己的「突發事件」基金。

　　2010 年 5 月中下旬，富士康（2038）傳來跳樓事件，鴻海老闆郭台銘親臨現場，笨的方法安裝防跳網（應該是跳下不會死人的網），正面的方法用加薪 30%，但未能解決問題，引起了輿論的普遍關注及工潮。筆者有看過郭老闆的傳記，略知他的個性和企業心，你會發覺他是一位自信心極高的人，不會輕易向困難低頭，在電子業已處於「大得不能倒下」的地位。該股股價從年初的 11.68 大跌 50%，雖然短期內該股的相關問題難以解決，但不應該繼續看淡，短線是到了『跌有限』。5 月 25 日，該股大跌 0.56，對於只剩 5.86 的股價，當天最低見 5.26，一天跌去 10%，而且成交大增。這是 Short Put 輕微價外的機會，可能會接貨，但倉位小，接又如何。收期權金的利潤是有限的，但這是市場慷慨給予的，捉住機會，6 月 Put 開倉平倉都做十分舒服，幾乎全收。

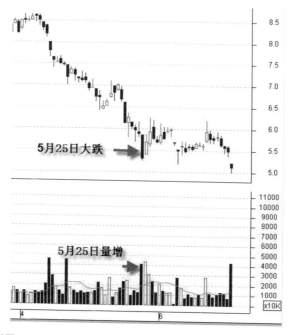

（圖 1：2010 年 5 月 25 日富士康 (2038) 股價大跌，成交大增）

《期權 Long & Short》之進階篇

2010 年 6 月上中旬，騰訊（700）傳來馬氏炒輸期權（這是一個十分有趣值得講的期權故事），其個人新聞也首次登上娛樂版，股價從 153 的水平開始下跌。見此，有朋友立即沽出股票，認為 Short Call 太慢。若閣下留意該股，6 月上中旬的成交激增，但在 6 月 18 日跌至 120 前站穩並開始有買盤進場，對於兩週內大跌 20% 的強勢藍籌（153 - 120 = 33），買反彈（Buy Rebound）十分正常，但是否會再下跌難說，特別是高 P/E 和高價位的股票。因此，只能用 Long Call 看短線，何謂短線，這可以是朝進晚出，即日平倉。

從圖中可見，當日 130Call 成交頗大，期權金從 0.47 達 3.70，也就是說只要你跟進，利潤一定有。做 Long 與做 Short 不同，Long 可以略微進取，只要及時平倉，輸有限，若走不及，輸盡也只是期權金。做 Short 則要保守，特別是貼價 Short。

						O.Price		High		Low
Option H700OM0 [Standard]					Cash		124.000		130.500	120.400
TENCENT Group 1006					Future					

				Call Option					
O.I	P.Close/Open	Vol	R.Chg	L.Trade (V)	(V) Bid	Ask (V)	High/Low	Strike
241	15.12/0.00		+4.61	19.73S( )				11000
0	10.50/0.00		+4.33	14.83S( )				11500
33	8.30/5.72	58	+4.17	12.47S( )			12.10/5.36	11750
252	6.39/3.67	31	+3.92	10.31S( )	(2)2.11		4.00/3.67	12000
68	4.92/3.50	356	+3.39	8.31S( )		8.60 (10)	8.62/2.60	12250
359	3.50/2.23	2473	+2.87	6.37S( )	(2)1.61		6.51/1.70	12500
141	2.39/1.25	362	+2.24	4.63S( )	(10)3.78		4.83/1.00	12750
2183	1.59/0.86 →	2817	+1.81	3.40S( )	(2)3.40	3.67/(515)	→ 3.70/0.47	13000
322	1.02/0.52	534	+1.28	2.30S( )	(30)2.30	2.45 (10)	2.34/0.35	13250
3006	0.63/0.25	2777	+0.86	1.49S( )	(50)1.20	1.65 (40)	1.51/0.22	13500
205	0.37/0.85	83	+0.57	0.94S( )	(0)0.93	1.13 (3)	0.85/0.72	13750
2257	0.21/0.08	246	+0.36	0.57S( )	(40)0.40	0.88 (7)	0.55/0.08	14000
343	0.12/0.07	1	+0.23	0.35S( )	(0)0.29	0.49 (0)	0.07/0.07	14250

（圖 2：騰訊（700）期權 Call 成交激增）

以上就是利用突發事件，基於個股當時的市況分別用 Long & Short 的期權策略，但筆者認為，對一般散戶而言，用於個股，勝算較高，用於指數，頗具風險。

2010/07/17

中人壽 /2628 一直是期權教室的上堂股，筆者的確是又愛又恨，但回想當初，還是充滿樂趣。每個歷史時段都會有該時段的代表股，我們掌握期權技巧，不愁寂寞。

愛股失色　仍是精品

由於主力做期權，中人壽（2628）一直是本人的愛股，原因是每手 1000 股，期權金（Premium）方便計算，另外是行使價（Strike）每一元一格，容易與正股價格比較，看支持位阻力位和選行使價都較為方便。

但 7 月 9 日，在《信報》中有文章報導，禹洲地產（1628）宣布，向中國人壽海外旗下的中國人壽信託發行為期三年總值十億元債券，年利率十厘。

當日該股股價上破 35.00 最高達 35.75。由於即時看《信報》，筆者感覺不妥，所以在高位已做 Short Call 並沽出部分正股，同時在期權教室的網頁有如此之描述：「愛股2628/ 中人壽不知為何做了銀行的生意，借出 10 億收 10 厘年息。筆者認為人壽買進股票很正常，但做借貸是另類風險管理，對抵押品的評估相信人壽不如銀行，而且若真的持有了抵押品，也沒有銀行的能耐去處理抵押品。因此，這個消息不應該是正面消息。上週五最高見 35.75，收市 35.25，回落 0.5，幅度不算小，建議 Short Call 或略為減持正股。」

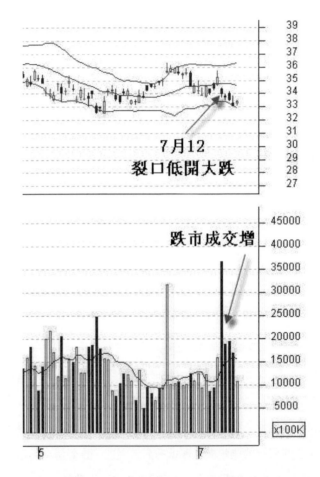

（圖：2010 年 7 月 12 日中人壽 (2628)) 股價大跌，成交大增）

　　7 月 12 日週一，雖然恆指是陰燭呈十字星，但相比 9 日週五收 20378 點，大市還是上升了 89 點達 20467 點。可是作為主要藍籌，愛股在週一不升反而大跌 1.3，近兩個 ATR/N 值，在恆指變動中錄得負數 38 點，這的確是不好的兆頭。從散戶的角度看

2628，我們只能得知這是中國壽險的老大，也是 A 股的縮影，因為中人壽擁有萬億 A 股資產，但政策對它的影響，國內千絲萬縷的利益關係，我們無從察覺，只能後知後覺。本週後期一浪低於一浪，而且有成交配合，下破 33.50 的密集區，估計本月要在 32.50 － 31.50 才能找到支持。

中人壽本週的跌勢雖然不能說源於做借貸，但重磅國企近期的動作，如中移動入股浦發銀行等，都令筆者聯想到除了商業決策外的利益關係。所謂國企，都是以國家資本為核心的企業，在「社會主義的初級階段」，這些企業的活動應該是配合整體社會的發展，若完全像私人企業處處從利潤出發，不單風險增加（當然不關自己事），而且會衍生出各種利益關係，造成社會的不公，十分容易滋生各種財閥和寡頭政治。從筆者的觀點看，在「初級階段」也就是資本主義的萌芽期，巧奪強搶是社會發展的一部分，要獲得溫飽和小康，其代價就是要容忍和接受社會的不公。近期看了一些歐洲學者對中國的分析文章，探討的問題就是：我們是否對中國估值過高？

雖然如此，面對似乎有內傷的 2628/ 中人壽，見其股價拾級而下，當然要做些保護，特別是持有正股較多的朋友。因為重磅的保險股都會是基金愛股，如美國的 AIG，長期被稱為「股票垃圾桶」，但基金還是不離不捨。我們懂得運用期權，變通的方法頗多，面對不明朗，如《期權 Long & Short》書中所提及的就是 Long + Short 的策略，也是筆者經常講的「孔明借箭」，簡單講，就是手持正股做 Short Call 再用利潤做 Long Put。筆者一再強調，靈活就是散戶的強項。要做得好，技術運用當然重要，本週六 24 日上午，有如何運用技術分析於期權操作的講座，有興趣的朋友可留意期權教室網頁。

愛股雖然失色，但在可操作期權的股票中，選來選去，中人壽仍是精品。

2010/08/28

　　筆者提倡用 Long & Short，所以經常要借箭，2009 的文章有關借箭的描述，此文不另作解釋。

股票期權之孔明借箭

　　孔明借箭是三國演義的典故，當時劉備聯合東吳的孫權抵抗曹操南下，孫權指定手下軍師周瑜為統領，劉備的軍師諸葛亮 / 孔明也只是歸周瑜旗下。周瑜絕對是能人，但傲氣沖天，下軍令戲弄孔明，限時交箭十萬。孔明受令後天天喝酒，但他仔細分析了曹軍南下做戰的心理，又利用了江南的天氣變化，配備草船在限時內成功地向曹操借箭十餘萬交周瑜。周瑜不得不仰天長嘆：「既生亮，何生瑜」。運用諸葛智慧於股票期權，很多機會可以巧用借箭之策。

　　全球集資的農行 /1288 上市，雖然市場當時反應並非熱烈，但抽不到股的人眾多，若閣下看好，大可 Long Call 中線，圖中可見 12 月 3.50 Call 的期權金已上升一倍，但正股在該時段只上升約 10%。可見期權是有投資價值的，但許多人會認為 Long 輸時間值，不大願意使用，筆者完全認同。不過若閣下仔細分析過農行，你會發覺孔明借箭之策萬全可行。新股上市後一般都會有好表現，然後回落，農行亦然，本月中農行回調，機會到。方法就是 Short 農行 12 月 Put，行使價選擇在 3.10，也就是招股價之下，符合抽新股的心態，每股收 0.10，準備 3.00 接貨，信心十足。取得 Short Put 的期權金後，再全數 Long 12 月 Call，行使價選擇在 3.50，此乃本月已達之位，再達機會頗高，每股付 0.15，信心也足。從本週的圖可見，Call/Put 都已進入了利潤區，前景可能十分燦爛。當然，此舉要多謝港交所，農行上市同時有期權買賣，而且成交也算活躍，十分難得。

High	Low
3.560	3.510

農行/1288期權12月
2010/8/27收市

High/Low	Strike	High/Low
	240	
	250	
0.94/0.94	260	
	270	
	280	
	290	0.03/0.03
	300	
	310	0.06/0.06
	320	0.08/0.08
	330	
	340	0.13/0.13
0.23/0.23	350	
	360	
0.14/0.14	370	
	380	
	390	
	400	

（圖 1：2010 年 8 月 27 日農行(1288)12 月期權成交價）

數據表(1288:14)　農行上市後由3.2上升至3.59

日期	開市	高	低	收市
2010/07/29	3.56	3.59	3.52	3.57
2010/07/28	3.51	3.59	3.5	3.58
2010/07/27	3.49	3.6	3.48	3.51
2010/07/26	3.49	3.54	3.46	3.5
2010/07/23	3.34	3.5	3.33	3.49
2010/07/22	3.23	3.31	3.22	3.3
2010/07/21	3.21	3.23	3.21	3.22
2010/07/20	3.2	3.23	3.2	3.21

數據表(ABC350L0:15)　農行12月3.5CALL由0.14上升100%

日期	開市	高	低	收市
2010/07/29	0.28	0.28	0.28	0.28
2010/07/28	0.3	0.3	0.3	0.3
2010/07/27	0.29	0.29	0.25	0.25
2010/07/26	0.25	0.25	0.25	0.25
2010/07/23	0.17	0.25	0.17	0.25
2010/07/22	0.14	0.15	0.12	0.15
2010/07/21	0.12	0.12	0.12	0.12
2010/07/20	0.14	0.14	0.14	0.14

（圖 2：農行(1288)上市後兩週正股股價表現和 12 月 3.50 Call 的期權金變化）

《期權 Long & Short》之進階篇

　　另一個是藍燈籠和黃 /13，該股公佈業績後股價大升，筆者在網上文章中描述該股價圖已不像藍籌，似乎是二三線股，更重要的是該股的成交實在不濟，價量背馳十分明顯。又再細心分析該股的四大板塊，石油，電訊，港口，零售，看來短期只能是零售有看頭。因此 Long 9 月 Put，行使價選擇 57.50，付 1.00 期權金，因為這是 8 月 6 日大升的頂，若回落是可達之位。但 Long Put 後該股在高位徘徊許久，持 Long 倉不舒服，故又考慮用孔明借箭之法，Short 10 月 Call，行使價選擇 70.00，沒有特別原因，只是見報章評論說該股年底見 70，相信會有人願意在該行使價付出較高的期權金，因此每股收 0.50。由於無貨，Short Call 股數又是 Long Put 的一倍，一定要紀律嚴明，止蝕擺好，心情舒暢地等待市況的發展。圖中可見，9 月 57.50 Put 已升至 1.85，9 月 70 Call 已是價外，無成交，10 月更是無人做，可能全收。從期權盤路看，借箭應該成功。

High	Low
59.600	58.350
58.63	58.10

High/Low	Strike	High/Low
和黃/13期權9月		
2010/8/27收市		
	4500	
	4600	
	4700	
	4800	
	4900	
	5000	
	5250	0.35/0.28
4.44/4.00	5500	0.88/0.71
2.70/2.50	5750	▶ 1.85/1.54
1.35/1.18	6000	3.11/2.97
0.76/0.58	6250	4.59/4.59
0.37/0.28	6500	
0.18/0.13	6750	
◀	7000	

（圖 3：2010 年 8 月 27 日和黃 (13)9 月期權成交價）

　　以上兩個例子都是在 8 月完成，一個往上看，一個往下看，這也可以說是炒股不炒市，箭可以兩頭借，十分適合對個股有認知的朋友。至於是先借後用（先 Short 後 Long 如農行），還是先用後借（先 Long 後 Short 如和黃），則是閣下自己的修行。

2010/10/08

　　《期權 Long & Short》書中提及期權 Long 是：本小利大利不大，因為贏面小。所以，開 Long 的首要是要等到或是找到贏面大的機會才能做，以下兩篇可以參考。

股票期權 Long Call（1/2）

　　相對指數期權，股票期權的優點是分析了該股的基本因素，一旦有機會，可以用較少的資金做等價，而做指數期權的等價則需要較多的資金。另外，由於市況對個股的影響面較小，若分析準確，受干擾也少，而指數期權則受成分股各種因素的影響，較難掌握。個股出現這種機會經常有，但閣下必須對該股有認知，機會出現，立即行動。

（圖：2010 年 9 月港交所大升）

　　《信報》今年 9 月 21 日有一篇港交所行政總裁李小加的文章，他提出要用「活水養魚」法，為港交所引入人民幣相關的產品，文章精彩，值得細讀。港交所 /388 是真正的藍籌港股，若可以在港有人民幣產品買賣，港交所的成交量估計可以與 A 股相比，而港交所的利潤就是來自成交量，這是該股的特性決定的。另外，引入人民幣產品是李總裁的第一炮，各方捧場不在話下，此炮必響。市場有了這種美好的憧憬，港交所 /388 重返官價 155 應該毫無難度。從圖中可見，「春江鴨」9 月 6 日早已進入，先知先覺者在

9 月 10 日破 8 月高位 132 時進入，後知後覺者，如一般散戶，是看完文章後，見破 4 月高位 140 時進入，但也來得及。港交所 /388 是價值不菲的股票，一般散戶難以用現金全數買股票進場，可是運用期權得宜，Long Call 看上，期權更勝股票。以下是港交所 /388 從 9 月 21 至 9 月結算和 10 至今其股價與認購期權的表現。

	9 月 21 日	9 月 29 日	升幅 (%)	10 月 7 日	升幅 (%)
港交所 /388	140.6	151.3	7.6		
9 月 Call 140	2.31	11.3	489		
9 月 Call 155	0.01	無成交			
港交所 /388	140.6			161.6	14.9
10 月 Call 155	0.81			9.37	1156
10 月 Call 160	0.36			6.68	1855

（表：港交所股價與 9 月和 10 月的 Call 期權金比較）

期權行使價的選擇十分講究，不單是價位，還有月份，這幾乎是利潤的關鍵。9 月 21 日的首選是做等價 140，還剩下 5 個交易日，雖然 155 是個位，但難以期待 9 月達。而 10 月份的目標則可以定在 155，而 160 是 10 月 Call 的最大倉位，小注博弈不妨。

由此可見，做 Long 策略最好是分幾個價，能分月份更佳，到位平倉。若有些部位不達，也可以及時平倉，損失有限。

大市本月已達 23000 的高位，但以量化寬鬆的動力，我們不知可以將股市推至何處，若有保留，Long Call 可取。從期權的數據看，大市恆指的引伸波幅保持在 18 左右，但個股的引伸波幅普遍都在 20 以上（港交所 34），說明做個股期權的機會比做恆指高。平保 /2318 的引伸波幅也達 33，是 Long Put 的對象，篇幅有限，下兩週再續。

2010/10/22

股票期權 Long Put（2/2）

這是期權教室上堂的個案，對部分讀者應該不會陌生。

以下的圖片是在 2010 年 9 月 28 日見報的，筆者稱這是世界上最富有的人（巴菲特）、最聰明的人（比爾蓋茨）及最具智慧的人（芒格，巴菲特的合夥人），三人一行到比亞迪深圳車廠捧場。可能與大多數人觀點不同，本人見此圖就認為此股必跌無疑。圖片是 28 日見報，但消息是月中已經公佈，該股是從 50 元開始急升。

教室稱此股為飛天車，沒有正股當然不敢 Short Call，只能 Long Put。筆者當天開 Long 10 月 Put 50（借用物理學家 Issac Newton 牛頓名言："What goes up must be down"），期權金當天的最高價是 0.90，最低價是 0.50。當這三位聖殿級人物離開深圳上京城，該股一升再升，筆者的期權金當然急速縮水，不過筆者在縮水的過程中不斷增倉，令平均持倉成本降至 0.35。

各位若有興趣，可以翻看舊報紙，當這三位神人在 10 月 4 日早上登機離開北京返美，該股從當日早上 9 點 30 分起開始跌，整個 10 月跌勢未止。當 10 月 27 日再度裂口跌穿 50 大元，筆者以 1.80 平倉，獲利 5 倍。不過，筆者十分慚愧，因為 1.80 是當天開市的最低價，最高價是 3.25，堅持到底可以獲利近 10 倍。

各位讀者不要以為 10 倍利潤十分滿意，若閣下有沽神 John Paulson 的本事，用利潤不停 Long Put，閣下可能是另一位沽神。見圖，該股從 2010 年 10 月 3 日的 64 元開始跌足一年，至 2011 年 9 月 25 日是 10.92。

（圖1：芒格、巴菲特及比爾蓋茨三人一行到比亞迪深圳車廠捧場）

（圖 2：比亞迪（1211）股價日綫圖）

（圖 3：比亞迪（1211）股價週綫圖，本圖乃後期補上，以顯示大跌後股價的走勢）

　　運用股票期權的 Long Call 和 Long Put 於直接獲利，整體上來說，最大區別在於時間的掌握，由於能做期權的股票都是藍籌，原則上都是優質股票，不能長期看跌，但可以長期看好，所以長線應該看漲，當您有觀點時可以 Long Call 遠期股票期權，如上兩週的文章提及的港交所 /388。至於用 Long Put，股票期權主要是捕捉短期的下跌機會。

至於用 Long Put 做對沖則另論，因為對沖是為股票買保險，特別是持股較多的人士，可以防範短期或長期的風險。雖然優質股票長期下跌的機會不大，但若遇上的系統性風險，如百年一遇的金融海嘯（2008），或者由於某種原因外資撤離香港，股票 Long Put 長線也可以利潤驚人。

股票期權做 Long，完全可以用支付的期權金做成本計算回報，因為虧損最多也就是支付的期權金，是真正的本金。但做 Short 則不同，用股票值或接貨成本計算利潤較為合理，不建議用每日都會浮動的按金去計算期權金的回報。

2010/11/05

操作股票期權是要特別留意供股消息，這是期權的機會，但不同的股票，不同的供股條件，期權策略當然也是不同。

供股的期權策略

在香港證券市場，股指期權是期交所的產品，股票期權是聯交所的產品。股票期權與股指期權最大的不同之處是 Long 和 Short 原則上不能做對沖，因為股票期權 Long 只能降低 Short 的損失，但難以降低要出貨或要接貨的風險，目前能在股票期權做有效對沖的只能是現貨或現金。所以，股票期權的策略與股指期權大不相同。而在股票期權中，供股與新股的期權策略較為特別，雖然投機味濃，但把握甚高。

一般來説，供股集資對正股不是正面消息，但對懂得操作期權的人士來説，則應該説是一個較有把握的短線獲利機會。今年內銀股要供股集資，市場傳聞已有半年，

《期權 Long & Short》之進階篇

但至本月才陸續落實，令本人聯想到 2009 年 3 月匯控供股的經歷。（讀者可以參考 2009/03/21 的篇章《匯控期權策略（4/4）》）

	中行	建行	工行
股份代號	3988	939	1398
供股比例	10 供 1	10 供 0.7	10 供 0.45
供股價	$2.74	$4.38	$3.49
除權日	11 月 5 日	11 月 10 日	11 月 22 日
供股權交易日	11 月 18 日 ～ 11 月 30 日	11 月 23 日 ～ 12 月 3 日	12 月 1 日 ～ 12 月 13 日
接納及付款日	12 月 3 日	12 月 8 日	12 月 16 日
供股股份開始買賣	12 月 14 日	12 月 16 日	12 月 28 日

（表：中行、建行和工行的供股計劃比較）

（圖：建行工行中行股價走勢比較圖）

此次內銀供股的規模難與匯控相比,但 3 行齊發(中行 / 建行 / 工行)也是頗有聲勢,雖然兄弟行一起集資可能會攤薄市場資金,但市場正值 QE2 的高潮,不捉此刻,更待何時!這是經典的 Time the Market,匯控明顯遜色。大家從圖中可見,中行 / 建行在公佈供股價和供股比例後,股價不斷上升,說明市場人士普遍認為供股價合理,願意買進正股獲取供股權(工行可能是下一個機會)。我們可以採用的期權策略是及時(知道供股價和供股比例時)按供股比例買進正股,以買進的正股做融資去供股,在見該股價從高位回落時做 Short Call 高位,Short Call 的股數就是供股後的全數。若股價下跌,由於有供股在手,平均價已低於現貨價,再加上 Short Call 期權金的利潤,閣下已具有持貨守倉的條件。若股價上升穿高位,閣下也不妨瀟灑走一回,交貨結算,看看利潤是否令人滿意。

不過,這次內銀供股筆者認為有些勞民傷財,雖然供股價可以接受,但供股比例太低,建行 10 供 0.7 價 4.38,工行 10 供 0.45 價 3.49,中行 10 供 1 價 2.74。比起 2009 年 3 月匯控股價在 40 - 45 左右,供股比例 12 供 5,供股價 28,在匯控股價的低位供,集資額頗大,勝算十分高,幾乎人人獲利,只是多少。此次內銀供股,是在股價的高位供,集資額也不大,應該內銀基本上不需要錢,所以政治意義多過實際。估計真正的得益者是處理此次供股的銀行和券商。

操作期權,關鍵還是看供股的比例和供股價是否吸引,若是,說明短期不會大跌,可以立即開 Short Put,也就是『期權循環圖』『跌有限』的策略。

至於買賣供股權證,則要看閣下是想買賣供股權證賺錢還是想供股,若是想供股,就要小心自己的頭寸,不要買時痛快,供時狼狽。另外也有朋友採用更為短線的做法,是獲得供股權後立即沽出正股做 Short Put ATM,此法也可行,但見仁見智。

2010/11/19

這也是期權教室上課的內容。因為香港是國際級的金融中心，也是內地股票來上市的首選地，所以機會多，但問題是：是否股票上市的同時就有期權。

供股與新股的期權策略

上期講供股，今期講新股。一般來說，新股帶著期權上市十分少見，新股沒有歷史數據，所以只能看基本面，看招股書，與同行比較。但若新股是同時有期權，這幾乎可以肯定該股將會是一個高流通量和大市值的股票，十分值得留意。

2010 年帶期權上市的有農行（1288）和 AIA（1299）。當農行 7 月份上市時，本港市場並非看得十分好，認為農業貸款可能會出現較高的壞賬率，當時報紙還有觀點認為農行上市會跌穿招股價。但我們也見中央金融高層對農行上市極為重視，因為此刻的國策是向農業傾斜，而且這是最後一個國企銀行上市，幾乎是只許成功不許失敗。對於這樣的新股，如何做期權呢。筆者的觀點是該股的相關數據不必太認真，關鍵還是看政策，而看政策是不能太短線的，要看長些。因此，這應該是一個不一定能大升，但一定不會大跌的股票，可以採取較遠期的期權策略。

具體是在 IPO 開市時 Short Put 等價 + Long Call 輕微價外，但不是做即月，而是做 12 月，有充分的時間看。表中可見，9 天時間，正股股價升幅約 10%，而 Long Call 已到價，可以先行平倉獲利，用利潤再 Long Call 輕微價外，而 Short Put 則繼續保留。

日期	正股價開	正股價收	12 月 3.5Call 開	12 月 3.5Call 收
07/29	3.56	3.57	0.28	0.28
07/28	3.51	3.58	0.30	0.30
07/27	3.49	3.51	0.29	0.25
07/26	3.49	3.50	0.25	0.25
07/23	3.34	3.49	0.17	0.25
07/22	3.23	3.30	0.14	0.15
07/21	3.21	3.22	0.12	0.12
07/20	3.20	3.21	0.14	0.14

（表：農行 ABC（1288）IPO 上市時正股價格與 12 月 3.50Call 期權金的變化）

今年 10 月 AIA 上市倍受矚目，這是本港股票的稀有產品，因為其大股東是美國財政部，AIG 作為母公司（沒錢還債要賣兒女）好不容易以 HKD19.68 招股而又保持對 AIA 的管理權。AIA 在港 90 年，業務清晰，透明度高，傳聞英國保誠曾想一口吃下，說明這是一個優質保險股。看具體數據，以招股價計，2011 年的內涵值為 1.54 倍，而中人壽為 2.1 倍，平保為 2.3 倍。若以 P/E 計，只有後兩者的一半。雖然價格便宜，但缺乏大中華觀念，在內地的市場份額 2009 年只有 1%，但這個缺陷有填補，招股書中的董事名單中見有內地金融界重量級人物的名字，估計今後在內地會動作多多。這次在本港的招股策略目的明確，幾乎是人手一股，逢抽必中，這是一種無形的廣告，讓眾多投保者成為股東，加強忠誠度。如此一來，外資份額將不夠分配，買現貨必然，會造成短期的快速升幅。見此，具體是在 IPO 開市時 Short Put + Long Call，但必須做等價，但 Short Put 是下月（12 月），而 Long Call 是即月（11 月）。表中可見，10 天時間，即月時間值損耗有限，正股升約 10%，而期權金已達 3 倍。可惜的是大多數人（包括本人）都是在期權金一倍時平倉獲利。

《期權 Long & Short》之進階篇

日期	正股價開	正股價收	11 月 22Call 開	11 月 22Call 收	12 月 22Put 開	12 月 22Put 收
11/11	23.85	24.45	1.83	2.48	0.30	0.27
11/10	23.65	23.60	1.63	1.66	0.37	0.41
11/09	23.60	23.75	1.69	1.79	0.36	0.36
11/08	23.10	23.70	1.34	1.77	0.45	0.40
11/05	23.20	23.05	1.50	1.22	0.36	0.56
11/04	22.75	22.90	1.08	1.12	0.56	0.57
11/03	22.65	22.65	1.05	0.96	0.61	0.70
11/02	23.00	22.60	1.00	0.97	0.56	0.73
11/01	23.00	23.00	1.75	1.29	0.46	0.61
10/29	22.00	23.05	0.80	1.37	0.92	0.61

（表：友邦 AIA（1299）IPO 上市時正股與等價期權 Call/Put 的變化）

在期權教室講期權時，經常將期權策略與策劃作戰相比，雖然兵書有法，軍令在身，但全局部署是會改變的，特別是每一個具體戰鬥的打法一定是因地制宜，採用當時對自己最有利的作戰方案。所以期權教室只講四大策略，動態制定。

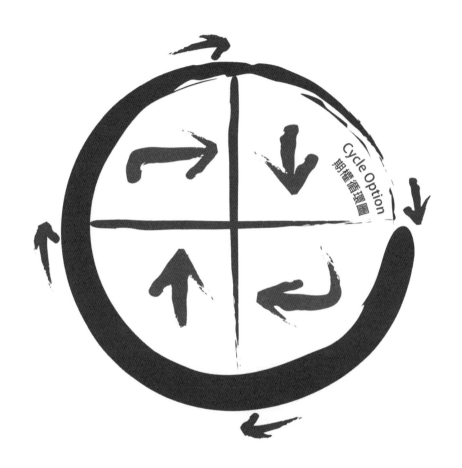

股票期權
2011

2011/01/14

　　在心理篇提及亂象，指亂象就是沒有按常規處理問題而產生的初步現象，但現象長期化，亂象也就是自然現象。所以，按傳統的證券分析法分析股票，特別是內地股票，此刻難有市場，因為政策的改變足以令市場改變。

　　筆者在期權教室開玩笑說：分析股票要看《資治通鑑》。

金融亂象　開倉宜慎

　　去年，卸任不久的前金管局總裁任志剛在一個公開場合坦言，他從未見過金融市場目前如此之混亂現象。當然，我們作為一般投資者，在操作層面不可能看得過於宏觀，只能專注在自己熟悉的範疇，我們就以港人最熱衷的內銀股和保險股做分析。

　　繼去年平安保險（2318）控股性買進深圳發展銀行後，資產值大增，是升幅最亮麗的保險股。中人壽（2628）隨後也買進廣東發展銀行的股份，雖然不是控股，但龍頭的動作總是惹人注目。跟著建行（939）也控股性買進壽險公司，增強自身的保險業務。傳聞工行（1398）也正在洽購一家保險公司，充分利用自身的客戶基礎。在這種行業互相滲透的市場狀況下，龍頭地位在降低，市場份額也越見均攤，競爭來自各個國企的金融小王國。這對於提升國企的管治水平無疑是好事，符合國策，但對普通投資者，未必受惠。若回顧各大行去年對這個板塊的報告，估計投資者大多數都會失望，可見這種政策的改變導致的混亂現象也是加大了做股票分析的難度。

　　去年筆者用匯控（5）供股為例分析內銀供股，雖然看好的程度要比當年看好匯控要低得多（只敢用 Long Call），但仍是折羽而歸。所以，我們只能看相對短線，也就是

30–50 天的週期，Short Put 準備接貨，Short Call 準備出貨。整體 IV 偏低，做不接貨和不出貨的大手價外期權，是高風險的行為，身手要敏捷。開 Long 不單是靠眼光，與速度也有關，見個股破位，用 Long 追也會是不錯的選擇。有不少朋友 12 月 Short Put 中人壽接到貨，平均約 32.00 以下的水平，筆者建議是（此刻已是 1 月中），在 3 月 34 元 Call 有約 0.90–1.00 的期權金，可以考慮 Short Call 一半以上，餘下的見方向對再開 2 月。

2011/01/28

在期權教室上過基礎堂的學員對農行（1288）和 AIA（1299）應該有記憶，這是本人講 Long Call 的個案內容。若閣下看到此文，一定會有共鳴。

虎頭蛇尾 AIA　守株待兔中人壽

虎年即逝，兔年將臨，在這去舊迎新之際，筆者借用「虎」與「兔」之寓意，分析如何操作股票期權。就期權策略而言，這是因人而異，變化萬千的，難以用對與錯評論。但我們首先要搞清楚的是分析的內容是屬於指數期權還是股票期權，因為兩者大不相同。從本文的題目，讀者應該清楚，這是講股票期權。

若要在 2010 年股票期權市場中挑選記住的事情，筆者認為是有兩個大型新股上市同時帶有期權，因為這種形式可能是今後大型 IPO 的標準件，符合各類型基金的要求。第一個是農行（1288），開市時的策略是長線看升，所以 Long Call 遠期，Short Put 近期，從開市到 4 元的過程，操作期權 Short Put + Long Call 可以獲利兩次，收穫都令人滿意。第二個是 AIA（1299），開市時的策略是短線看升，所以 Long 近期 + Short 近期，具體

的做法 Long Call 11 月 22 元和 Short Put 11 月 22 元,等於 Long 了一個人造 AIA 期貨。數日後價位達高位 24.60,Long + Short 倉當然大獲全勝。但由於獲利大而且快,所以認為短線未盡,又見 24.60 有成交支持,再加上這兩個 IPO 股票的期權都在獲利狀態,故將利潤全部押在 12 月的 24 元做 Long Call,等待粉飾櫥窗,因為短線看 30-50 天十分正常。結局如何,筆者不想細述,以免影響心情(AIA 見 24.60 後反覆下挫並創新低)。雖然沒傷本,但所花的心機頗巨,實在可惜。來年若又有機會,此錯一定不能再犯。筆者自我反省,並提醒各位可按我所講的做,只能用部分利潤 Long,但不要按我所做的做。AIA 的個案可稱之為虎頭蛇尾,急功近利的典型。

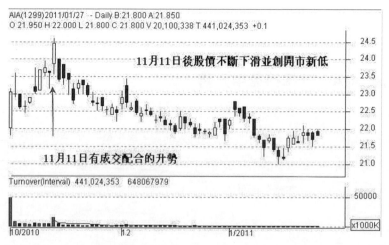

(圖 1:友邦保險(1299)日綫圖及成交額－－ 2010/10 至 2011/01)

但若做一個保守的投機者,只做 Short 不做 Long 又如何?中人壽是筆者的愛股,也是期權教室的上堂股,是不論股價上落,每月都有正現金流的股票。筆者認為中人壽(2628)是 A 股的信號股,該股目前處於反覆回落期,但在 30 元應該有良好的支持。

許多朋友，包括本人，在去年 12 月都因 Short Put 接了貨，平均成本約 32，接了貨要等待有升幅時做 Short Call 才有價，所以決定，3 月 34Call 有 0.90-1.00 的機會才開倉。1 月 12-13 日是開倉的時機，期權金最高 1.15，最低 0.90，該行使價是最大的成交位，也是 3 月 Call 目前的最大倉位，是做 Covered Call 的理想倉位，開了 3 月倉若方向對，還可以開即月。這是略為長期的 Short Call，但值得做，因為 2 月多假，而且是短月，時間值容易消耗，可是時間長有被 Call 貨的風險，若不想出貨，有『半熟牛扒』一定要吃，可以吃了一次後再等吃下一次的機會。本週該股股價下滑，期權進入收成期，1 元的倉 0.3 平，獲利 0.7，也是超過該股的一個 N 值，即月的則全收。同時又可以開 3 月 30 元的 Short Put，以 0.60 以上開倉，也就是超過 1 個 N 值的收益，沒有這個收益不做。有朋友認為持有正股開 Short Put 是雙重風險，對！但筆者認為是在乎你的量，若以持倉量 1/3 開 Short Put，風險十分有限。（有關開跨月期權和持股 Short Put 的策略容後再述）。

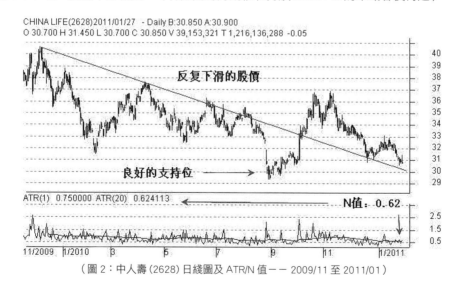

（圖 2：中人壽 (2628) 日綫圖及 ATR/N 值－－ 2009/11 至 2011/01）

《期權 Long & Short》之進階篇

筆者早前的文章曾介紹過 ATR/N 值，也常用此值衡量期權。其實 ATR/N 值是《海龜練金術》（Way of the Turtle）一書的精粹，該書的作者，也是一位非常成功的交易員，介紹了如何運用 ATR/N 值。ATR/N 值可以分為 TR（True Range）值和 ATR/N（Average TR / Number of days）值。TR 值是每日的真實波幅，ATR/N 值（或簡稱 N 值）是一定日子的波幅平均值，目前一般採用 14-20 天的 ATR 值，也就是約一個月的波幅值，這是每日變動的數值。具體個股的 ATR/N 值在期權教室網頁每天更新，有興趣的朋友在開倉時不妨參考。

筆者推薦使用 ATR/N 值，因為簡單，容易理解，期權是波幅性產品，理論上是不論升跌，只要有波幅，操作期權都應該有利潤。因此，以 ATR/N 值為目標制定自己的股票期權策略是合理的，也是可以達到的目標。按中人壽目前 ATR/N 值 20 天是約 0.60，若一年 12 個月只有 10 個月收益達標，也就是說有 6 元利潤，對於中人壽目前 31 元左右的股價，也就是有近 20% 的利潤。所以，我們只要小心「看守」自己的資產，不要太分心，並「穩守」在風險可控的範圍內操作，還要「堅守」機會不到不做的原則。用這「三守」做股票期權，筆者稱之為；守株待兔。其實回報按 ATR/N 值計，也不會太差。

順帶一提，大家都知道自己持有的是港幣資產，若資產值跌，港幣又在通脹下貶值，閣下要如何應付？若能接受用 ATR/N 值為目標去追求股票資產回報，這很可能是眾散戶對抗通脹的可行方法之一。

2011 年只剩下 11 個月，各位是否有每月檢討自己的投資成績，筆者認為要從兩方面看。一是看資本是否有增長，如筆者在《期權 Long & Short》書中的觀點是；將月回報分為 2-3% 合格，5% 開紅酒自我表揚，10% 以上感謝主。另一個是自我檢查操作技巧是

否提高，遠離問 number 是最起碼的進步，看電腦多於看電視你已入行，樂於動腦想策略你已成功，若能保持不斷學習的態度，你應該在走在賺錢的大道上。筆者在書中也提及：投資貫穿人生的過程，是生活的一部分。期權操作就是所謂 Humanized Speculation。由於略有年紀，而且篤信人生兩大財富 Health and Wealth，兩者是以 Health 為首，所以今天想講多一句，必須兩方面都是正數，生活才有意義！

2011/02/11

　　做股票期權的最高境界就是產生每月的現金流，但問題是若是該股不斷下跌，股價損失不菲。可是閣下也要自問，是否願意沽出股票，筆者見持股以年計的大有人在，相對沒有運用期權操作的持股人，若閣下懂得運用期權持股，當然會略勝一籌。

細心預波幅　擇位做股票

　　期權教室的上堂股是中人壽（2628），2011 年 1 月不少朋友 Short Put 一月 32 收 0.88，見跌穿 32 時加 Short Call 32 收 0.33，以 30.79 接貨。股價近期跌至 30 邊緣徘徊，最低見 29.70，同時成交上升。該股期權 3 月 30 元的 Call 和 Put 在徘徊的日子裡有數天都見兩千張以上的大手成交，Call 約 0.95，Put 約 0.85，若採用 Short 兩頭的策略，可收 1.80-2.00 期權金，這是否市場人士認為該股短期上下波幅約 2 元，也就是 28-32 的波幅水平。若閣下認同，手持正股當然可以大膽做 Short Call，但也可以同時保守地做 Short Put。

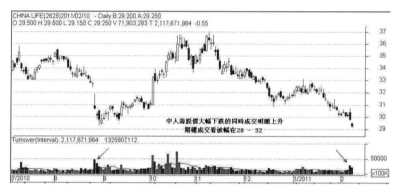

（圖：中人壽（2628）日綫圖及成交額－－ 2010/07 至 2011/02）

　　手持正股 Short Put 是風險策略，關鍵要看是什麼股及在什麼價位做 Short Put。但首先是要問自己，若股價下跌，低於買入價，閣下認為手持的股票價值是買入時的價值還是當時的市場價值，若接受 Mark-to-market，承認市場價值，那閣下可以持股 Short Put。

　　手持中人壽正股，認同市場波幅觀點，承認市場價值，進取者可以 Short Put 3 月 28 收 0.30 左右，保守者可以做 4 月 27 也收 0.30 以上，甚至 6 月 27 收 0.60 以上。最大風險是沒現金又要被迫接貨，用賭的方法當然是止蝕平倉，搬倉及可以融券用孖展接貨。若承認市場價值，不想有加倉壓力的朋友還可以在被要求接貨時沽出正股，用沽出後的現金接貨。這個方法看起來有些笨，但比起沒有收期權金只持有股票的朋友，似乎又聰明了一點。持股 Short Put 的招數多，筆者堂上有講巴菲特 Short Put 的故事，他老人家是以十年為期搬倉，但這是巨人做的事。

　　做股票期權不能花心，能做好 3-5 個股票已是不錯，另外還要有耐心，自己熟悉的 3-5 個股票在 30-50 天的時段裡，總有 2-3 個會出現期權機會，閣下的功夫就關注和等待。

本月是兔年元月，筆者在此也祝各位像兔子一樣機警，小心保護自己，也要學龜一樣有耐性，慢慢等待，機會來臨，動如脫兔。

2011/07/01

這篇文章一上網就得到本人華爾街朋友的讚賞，能得到高手的認同，筆者當然高興，這是一套十分實際的「權」術，值得大家多練！

若讀者對引伸波幅與股價的相關性有興趣，可以是參考港交所的《Historical Volatility vs Implied Volatility》，在期權教室網頁的股票期權實用網站可以直接進入。

股票期權　錢分三注　分投三處

期權市場要分指數期權和股票期權，由於對沖的手段不同，運用策略也是大不相同。對於大多數散戶而言，指數期權主要是以跨價（Spread）和期貨做對沖，股票期權則是以股票和現金對沖，期權教室是將兩者明確分開。相對指數期權，股票期權要花較多的時間在基本面，獲利也可能會略慢，但相對之下也安全得多。

今年 6 月，港股是單邊跌勢，從開市時的最高 23706 點，跌至 21508 點，有 2198 點之多，買進股票的價值開始浮現。我們先從基本面看兩個較為典型的股票。

首先是 388/ 港交所，這是真正的香港股票，沒有海外業務，不會太受外圍影響，6 月股價已跌至官價水平（150 － 160）。表面看的負面因素有兩點：一是延長交易時間並

《期權 Long & Short》之進階篇

沒有增加成交量（本人認為應該縮短通過經紀的交易時間，大幅延長網上的交易時間，目前的方法是勞民傷財）；二是人民幣的第一炮，87001/匯賢，聽起來不是很響，或者是沒有預期之響（本人認為若人民幣產品是為了提高本港的成交，當然可取，但若只是為了抗衡上交所的國際版，實在不必），看來有些吃力而不討好的味道。從趨勢線和引伸波幅圖可見，當股價跌穿趨勢線時，當時引伸波幅明顯上升，若股價不進一步下跌，可能正是 Short Put 良機。若再進取些，以官價直接買進多少，也應該可以接受。該股 ATR(14) 值有 3.15，快上快落，十分適合喜歡波幅的人士。

另外是 1211/比亞迪，這是真正的中國股票，也沒有海外業務，回歸 A 股後，更是只受內地的影響（除非股神出貨）。少見的是王總主動要求在 A 股降格（從主板降到中小板）降價（從 RMB20 降至 18），導致 H 股近期最低跌至 HKD21（約等於 RMB18）。大家可以想像，比亞迪積極上 A 股不可能不與股神商量，IPO 降價也很可能是帶著股神的智慧。去年筆者認為比亞迪找世界上最有錢的人（Warren Buffett）和最聰明的人（Bill Gate）來為該車做宣傳是極大的失誤，所以當貴賓們離開深圳車廠時就立即開 Long Put（和巨人對著幹當然只能小注），結果期權金縮剩 0.1，準備投降，但等多數天，當貴賓離開中國時，股價大跌，筆者終於能獲利離場（此教訓學會 Long Put 的時間應該是離開中國而不是離開車廠）。對於一個大國，汽車業十分重要，這不單是重要的內需，有 GDP 貢獻，而且由於相連性甚為廣泛，是可以養活許多人的行業。我們回看美國底特律興旺年代的景象，中國還有很廣闊的發展前景。因此，在 21 的水平，應該看好。這是大波幅的股票，引伸波幅已達 60，賺引伸波幅的機會極高。

若認同看好的觀點，可以用股票期權策略性部署，建議首先將準備投入某股的資金分三注。第一注：可以在現階段買進現貨。第二注：按接貨能力開 Short Put，等於股價

回落時才買進，若不回落，吃期權金。第三注：用部分 Short Put 回來的期權金開 Long Call，以防萬一裂口高開，追貨不及。閣下可以像大戶一般行使 Long Call，繼續買進。至於若是股價上升，如何用現貨和 Long Call 做 Short Call 的組合，那是後話！

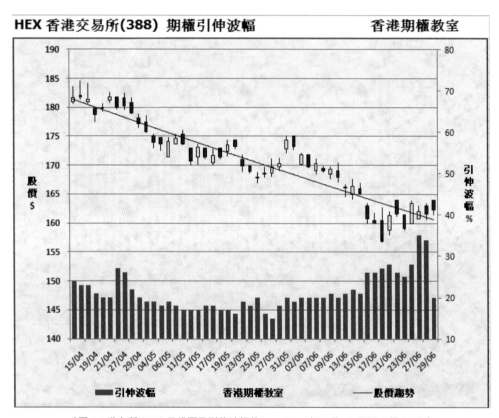

（圖 1：港交所（388）日綫圖及引伸波幅值－－ 2011 年 4 月 15 日至 6 月 29 日）

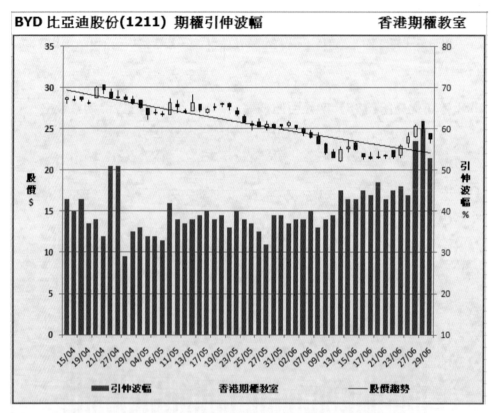

（圖 2：比亞迪 (1211) 日綫圖及引伸波幅值—2011 年 4 月 15 日至 6 月 29 日）

所以，筆者給此股票期權的策略名為：「錢分三注，分投三處。」

2011/07/29

　　用 P/E 衡量股票價格是十分傳統的方法，關鍵是要與同類型股票相比，找出高低的本質所在，期權教室的網頁已將可以做期權的股票分類，方便各位自行分析。

P/E 7-9 的股票期權策略

　　昨天剛好是結算日，回顧本月的股票期權倉，收獲尚可，成績令人滿意。相對指數期權，做股票期權是頗為沉悶的工作，因為股票期權的對沖策略不是期權本身的功能，要借助外力，也就是期權功能之外的股票本身或現金。而指數期權則可以用期權本身的 Long & Short 功能進行對沖，因此可以變化萬千。

　　運用股票期權可以達到各種各樣的目的，有持股票與無持股票不同，持股的量多與少也不同。期權教室講的多數是對散戶而言，以直接獲利為目標，需要準備股票和現金，但那只是作為對沖用途，用完即收即棄，尋找下一個目標。

　　近期市場的氣氛不振，主要是受內銀股的影響，加上新加坡淡馬錫在股價偏低的時刻大手減持，令內銀基本面的分析四處開花，宏觀有政策，微觀有對策，相信要行內人士才能明白和講得清楚。但若我們只是用最普通的 P/E 或整體 P/B 去衡量（絕對不是以越低越可取為準則），其實也不乏開倉獲利的機會。

　　表中列舉目前可以做股票期權的內銀股於本週四（7 月 28 日）的收市價、P/E 和 P/B，我們重點分析建行和中行，因為淡馬錫的行動對這兩個股票頗有影響。

《期權 Long & Short》之進階篇

建行 /939 週四股價是收 6.30，P/E 9.545，若計 7 月中股價在 6 元浮沉時，P/E 只有 9 倍左右。其實淡馬錫減持建行後，持股權益從 7.03% 降至 6.40%，只是減持了 0.63%。回想當年淡馬錫在絕佳的時機，於 2002 年動用 14 億美金入股建行 5.10%，然後又在 2009 年承接了美銀拋出的大部份建行股份，令其持股權益上升，此次輕微減持，但獲利甚豐，筆者不認為這是看淡建行。當然，美銀 8 月 29 又有 11% 的建行 H 股禁售期屆滿，若美銀決定拋售，不知淡馬錫屆時是會否繼續承接。若會出售，按理也應該將股價做得好看些，可以買個好價錢，所以，此波跌勢，可以利用。可採用的策略是在股價逐步離開 6 元時，若閣下認為 6 元是近期的底，跌穿這個底的 P/E 可是 9 倍以下，而 P/B 可能要跌至 1.5 倍的水平，這幾乎是城中最便宜的大型銀行股。閣下還有什麼要求？因此，Short Put 9 月價內 6.50，收 0.50 以上，鎖定萬一接貨的成本是 6 元以下。期權持倉期首先看 8 月底：若美銀拋售，可以立即平倉，30-50 天的時間值加上預計的上升波幅，即使是見消息後才平倉，也不會有大的虧損；若美銀繼續持有，那閣下也可繼續持倉，直至全收期權金或利潤令閣下滿意為止。

相對建行，中行表面看來要差些，可能是因為淡馬錫減持近半，持股從 13.79% 大幅降至不足 7%，目前對中行的持股權益與建行的持股權益相若，值得留意。但筆者認為這應該是整體策略的考量多於對個股的觀點，所以見中行股價表現與建行一樣。見其股價，P/E，P/B，很難想像還能跌至什麼水平，其期權策略也應該與建行相同，以 3.50 以下接貨為目標開 Short Put，何況中行沒有 8 月底的陰影，若閣下再進取些，還可以加 Long Call 考驗自己的眼光。

股票名稱	股票編號	收市價	P/E	P/B
建設銀行	939	6.30	9.545	1.910
中信銀行	998	4.76	7.592	1.358
農業銀行	1288	4.24	10.872	2.156
工商銀行	1398	5.96	10.420	2.151
交通銀行	3328	6.86	8.784	1.616
招商銀行	3968	18.64	12.837	2.546
中國銀行	3988	3.64	7.811	1.338

（表：內銀股股價、P/E 及 P/B 之比較，數據日期 2011/07/28）

目前內地銀行股的整體 P/E 約 8.22 倍，P/B 約 1.56 倍，是屬於偏低的水平，應該是反映了市場的負面因素，若有持股，此刻拋售，當然不智，但此時開 Short Call，也是不宜，早前有文章介紹股價趨勢線和期權引伸波幅，大家不妨參考。

順帶講一句招行 /3988，因為這曾是筆者的愛股，上過課的朋友可能還記得招行對本人來說是 2968，也就是 29.68 的意思，當時 Short Call 出貨的理由是若股價繼續上升，其 P/E 將超過 60%，可見此一時彼一時，故事在此不贅。

2011/10/07

　　股票沽空是對沖基金的拿手好戲，作為散戶，我們是否可以自制呢？筆者認為可以，簡單的組合就是 Long Call + Short Call + Long Put，但行使價、月份、張數對比，都十分講究，是標準的腦力勞動。

股票沽空和股票期權

　　電影《華爾街》（Wall Street）中，Michael Douglas 扮演大鱷 Gordon Gekko，當他掌握情報後，決定買進伊利城的安葛鋼鐵勒索對手。當時是股價大約在 45 元左右，他首先是開市時大手 Long Call 輕微價外 50 元的期權，然後安排不斷買進正股，令正股急升到 50 元以上，最後用 71.50 逼對手成交。這種方法很卑鄙，但易明，只能是大鱷所為，一般散戶難以模仿。另外，美股可以做期權的股票十分普遍，不一定是藍籌，所以若對個股採用目標特定的策略，大鱷可以發揮得淋漓盡致。本港可以做期權的股票只有 40-50 個，藍籌為主，成交活躍的估計也只有 10-20 個，大鱷要用此法獲利，難度較美股大，散戶也沒有必要花太多時間去研究。

　　在跌市中，若散戶參與股票期權買賣，其基本策略大多是 Short Call 加 Long Put。可是在跌市時，由於手上沒股票，只能 Short 價外 Call，期權金十分便宜，收不到多少錢。Put 雖然貴，但只要跌勢急，Long Put 利潤一樣可觀。風險就是跌幅和跌速不夠，期權會輸時間值。

　　今年 8 月開始的歐債風暴對港股的衝擊可能是全球最嚴重的地區，輿論開始經常出現有關沽空的消息。大市成交的整體沽空比例保持在 10% 以上，個股的沽空比例有時更是誇張，在成交比率中可達 60% 以上（10 月 4 日東亞銀行 /023 沽空率達 61.3%）。若

這是一個比例不小的市場行為,我們試看一般散戶能做什麼。

目前在個別較為專業的證券行,是可以向散戶提供股票沽空服務的,當然是該證券行要具備閣下希望沽空的股票。其程序如下:

一)開戶口:必須獨立開設一個專門做股票沽空的戶口,而且要填寫一份稅局的「證券借用及借出協議登記表」。

二)付按金:沽空股票是無正股的行為,所以要用按金做抵押進行,按金一般是收正股股價(也可說是沽空金額)的 25%。若股價下跌,投機者有利潤,可以平倉離場,收回按金和跌幅的利潤。但若股價上升,超過沽空價 15% 時,證券行會要求加補按金。

三)利息開支:無貨沽空就是借貨來沽,有利息成本,一般是按年息計,P+3%,目前 P 是 5.25%,加 3% 就是 8.25%/ 年,按沽空金額計算。

若以某股票價格是每股 100 元計,沽空 10,000 股,沽空金額是 $1,000,000。成本是:

按金 25% = $250,000 加上

利息 8.25% × $1,000,000/365 = $82,500/365 = $226/ 每天

下跌 1 元,利潤 $10,000。上升 15 元就要補按金。這是非常投機的行為,風險來自股價上行。

但這種操作套用股票期權又如何?在跌市中 Call 的期權金是便宜的,若準備部署沽空,可以按股價上升 15%,或根據風險取向,選擇行使價,先 Long 價外 Call,付出有限的期權金,鎖定上行風險,一旦升幅超過 15%,進入價內的期權會對補按金作出有效的

補償。當然，要運用期權，就要在整體部署上具備時間概念。這樣的組合是增加了 Long Call 的成本，但卻形成一套風險有限的沽空策略。

遺憾的是目前股票沽空是獨立戶口，是不能與股票期權合併的，因此組合策略的自身解構不能進行對沖，只能當兩個戶口看，因此也只能適合大戶，最起碼是機構投資者，或者是高資產散戶。但從證券行的角度看，這應該是一個市場潛力頗大的生意。

2011/10/21

恆指波幅指數出台後最高就是本文的插圖，在 2011 年 8 月份達到 58.61，問題是該月是從 18.64 起步升足 50 點，這是歷史之最。這些現象不經常發生，但一定會有，懂得期權，就要用有限風險進場。但從另一個角度講，VHSI 升，引伸波幅 /IV 也漲，期權金豐厚，開 Short 倉也是一種選擇。

波幅大　股票期權用 Long

經過 8,9 月份的大幅下跌（從 8 月初大約 21700 計），恆生指數 10 月初更是跌至 16170 點的低位。當然，跌市莫估底，低處未算低，但在極度超賣的市況下，出現反彈是十分正常的。何況基本面在這兩個月並沒有明顯的改變，心理情緒的因素對市場之影響，要比實質經濟的因素強得多。目前，日波幅保持在 300 － 600 點，更甚的可達 700 點以上，這種市況可稱之為：「恐怖性下跌，報復式上升。」

這是大波幅的時代，相信許多人會採用手持現金觀望的態度，但見反彈一浪高於一浪，大市升穿 0.382（黃金比例）在 18322 點左右站穩後，又向 0.50（黃金比例）邁進，

高見 18908 點。以收市計，十月至今的反彈幅度有 2624 點（18874 點－ 16250 點）。
經常在市場進出的人，就會忍不住手。在這種市況下，用股票期權進場可能是不錯的選
擇。

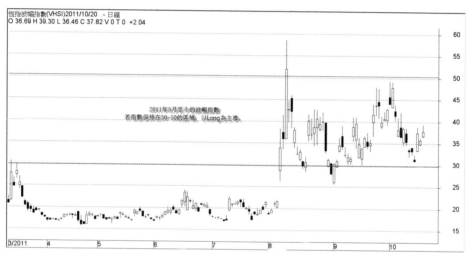

（圖：恆指波幅指數（VHSI）日綫圖—2011/03 至 2011/10）

從恆指波幅指數 /VHSI 看，我們暫且將 30-50 定為大波幅區域（見圖），當然，我
們還要配合整體 P/E 是處在單位數的市況下，用 Long 進場。指數期權和股票期權用 Long
的策略，從成本考慮，股票期權略優，因為要用 Long 直接獲利，就要盡可能靠近等價，
而等價的期權金，若以張計（per contract）指數期權的成本要比股票期權貴得多。做
Long 的張數要多，才能方便走位，這樣，做指數期權的本金要求就更加高。但股票期權
每張的成本低，只是閣下計劃開多少張（一張也可以交易），因此資金壓力小，相對輕鬆。
再從一般投機人士的市場經驗考慮，要把握自己熟悉的股票走勢要比把握恆生指數走勢
容易。

《期權 Long & Short》之進階篇

　　以下列舉幾個實例，若有興趣，讀者可以參照個股的日線圖，配合技術數據，仔細分析。

　　港交所 /388，10 月 7 日在絕對的大成交配合下大升，有轉勢之兆，可以進場。

　　平保 /2318，10 月 13 日也是大升並有成交配合，可以看高一線。

　　騰訊 /700，10 月 18 日從 140 報復性上升至 178.7，但成交未見配合，有短線的回吐壓力，可以試沽。（見表）

	港交所 /388	平保 /2318	騰訊 /700
開倉日	10 月 7 日	10 月 13 日	10 月 18 日
開倉日正股低／高	104.6 ／ 111.3	51.40 ／ 54.84	167.0 ／ 174.8
開倉倉位及期權金	LC 120 @ 1.08	LC 60 @ 0.46	LP 170 @ 4.2
開倉日期權低／高	0.65 ／ 1.82	0.17 ／ 0.68	4.00 ／ 7.57
平倉日	10 月 11 日	10 月 17 日	10 月 18 日（即日）
平倉日正股低／高	116.5 ／ 120.9	54.80 ／ 57.80	167.0 ／ 174.8
平倉日期權低／高	3.60 ／ 5.10	0.66 ／ 1.35	4.00 ／ 7.57
平倉期權金	4.10	1.30	7.23
每股獲利	3.02	0.84	3.03

（表：港交所、平保和騰訊的期權操作實例）

　　所以，若恆指波幅指數 /VHSI 繼續保持在 30-50 的波幅區域，而自己熟悉的股票的基本因素並沒有太大變化，不妨考慮以上的期權策略，因為機會在此時出現的頻率要比低波幅時多得多。但要提醒各位的是，從做期權的規律考慮，Long 通常只有 1/3 的獲利機會，因為做錯方向或牛皮市都會輸錢。在大波幅的日子裡，VHSI 高，期權引伸波幅也高，若是在高引伸波幅時段開 Long，時間一長，引伸波幅一但收縮，即使做對方向，利潤也會大打折扣，所以大波幅時代做 Long 還要考慮速戰速決。

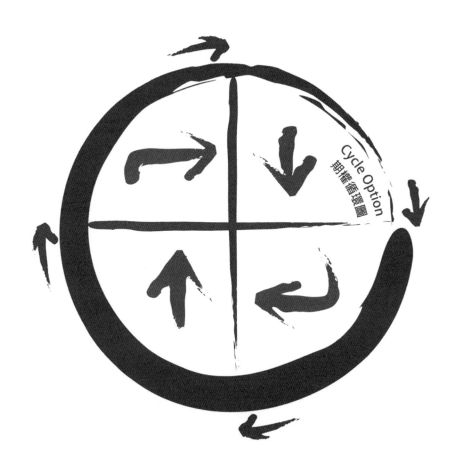

股票期權
2012

2012/03/09

　　在股票篇的序中有提及關於綜合運用的話題，真實市況的確如此。我們操作股票期權要懂得綜合運用，而業績期就是非常重要的一環，我們一定要把握。

業績公佈期的股票期權策略

　　本欄早前有文章以〈期權 Long Put 看門口〉為題，分析了 3 月恆指和國指期權的市場買賣行為，本週股市從 3 月 5 日的高點 21578 跌至 7 日的低點 20521，月初兩天跌幅過千點，做 Long Put 的利潤十分可觀，說明市場人士之精明。若閣下是散戶，在市場呻吟時你還略有斬獲，你一定屬於 Smart Money。筆者認為股票市場沒有什麼神秘性，只是在乎閣下是否有耐心和細心，在歷史規律中發覺或然性，也就是波動的機會率。

　　可以做期權買賣的股票大多都是藍籌，所以進入藍籌的業績公佈期，都是操作股票期權的機會。

　　一般而言，藍籌都會將好消息留在公佈業績時，令市場有期望，導致股價形成上升趨勢，但若公佈的業績符合預期或低於預期，股價大多都會下跌，只有好於預期（Better than expected）或派高息，股價才有持續上升的動力。在這樣的條件下，若閣下按『期權循環圖』『升有限』做 Short Call，勝算頗高。

　　持有正股做 Short Call 是十分划算的，因為沒有按金要求，但有被人 Call 貨走的危險，也就是閣下選擇的行使價會被行使（Assigned），你必須交出股票，你會得到期權金，但會失去收取股息的機會。所以，當閣下貪息之餘又要吃期權金，閣下的 Short Call 除了行

使價外，更重要的是月份，要避免該股除淨日的月份（Ex-Date），一般情況是做除淨日月份的下一個月。

要吃股息，還有一招，就是在公佈業績前乘高位沽出股票，在除淨前（要十分小心公佈業績和除淨的時間距離，新世界公佈業績 2 月 29 日，除淨 3 月 16 日，港交所 2 月 29 日，除淨 4 月 25 日）若股價回落，Long Call 除淨日的月份（當然行使價的選擇十分重要），若進入價內，在除淨日之前向經紀提出要求執行，買回正股收股息。運氣好，可以達到吃期權金，賺股價，又有股息收，收息後對沖下月 Short Call 倉的最高境界。

業績期，2 月 29 日，新世界（17）和港交所（388）同日公佈業績，從派息看，新世界（17）一向比較孤寒，只有 0.10 股息，以公佈業績時股價 10.68 計，只有不到 0.94% 股息，相比港交所（388）當日 144.60 計，股息有 2.09 元，股息為 1.45%。公佈業績後第二天兩者股價都下跌，港交所 3 月 1 日收 142.30 跌幅 1.59%，而新世界 3 月 1 日收 9.99，跌幅則達 6.46%，說明新世界的股東不好息者為多。

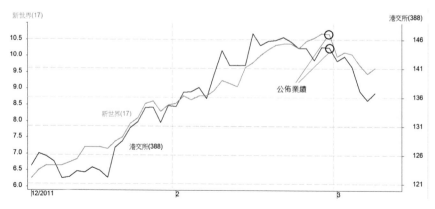

（圖：新世界（17）和港交所（388）日綫圖—2011/12 至 2012/03）

《期權 Long & Short》之進階篇

　　大行報告，總是有褒有貶，因此而形成市場。新世界高盛看 9.10，花旗看 12.35，林深池曾在大作中批評新世界是家族企業，但筆者認為這已經是眾多家族企業中較少負面家族新聞的藍籌。不過該股波幅大，按期權教室的講法是 Long 股，所以，當出現可能導致負面消息的機會，在跌勢中，不妨 Long Put，因為不好息者會沽出股票，加速跌勢，Long Put 看跌的效益會頗佳。

　　港交所是真正的香港股票，大行報告從看 99 之 180 都有，只是從什麼角度看。388 是獨市生意，有波幅但不算大，是 Short 股，可以長期持有收取期權金。由於派息政策進取，除淨前不願沽出者多，所以可以考慮在回落時 Short Put 即月，爭取 3 月底能收到貨，4 月收息，Short 5 月 Call。

　　此乃股票期權十分簡單的方法，若閣下有時間觀察，可見市場上充滿身懷權技的高手，出權（拳）變化萬千。

　　執筆時是三八婦女節，回首職場，近看金融遠看各行各業，巾幗大勝鬚眉。細心分析，她們的優點是有三心無兩意，三心是指：耐心，細心，忠心；兩意是指：大意，任意。但職場男士普遍是三心少兩意多，包括本人。

2012/03/23

筆者認為操作股票期權是一種綜合分析的結果，因為一個藍籌股的升跌其實不是在買賣該股的價值（所以股神巴菲特是不看短期的升跌），筆者的觀點是在買賣市場的人性和情緒，而人的情緒是受當時各種因素影響的，因此，對各種因素的綜合運用就產生了個股期權的策略。

香港「小選」月帶來的期權機會

期權做得好，當然可以稱之為期權的技術用得好（Skillful），如期權教室所講，主要是對沖的運用。但在機會面前，除了期權技術好，還要做得巧（Ingenious），這就是要將各種因素都運用在策略的制定，也就是説不單要懂期權專業術語（Terminology）的運用，還要曉用天時地利人和。本欄上篇文章講的是業績公佈期的股票期權策略，本篇是分析香港的「小選」（小圈子選舉）產生的期權機會。

在本港，尊貴者有選舉權（猶如春秋戰國時代的士大夫），我等庶民無選舉權（當然也無權參選），因此只有一心一意做期權。但庶民不等於不懂政治，我們從政治觀點看，幾乎可以肯定的是，「地產霸權官商勾結」是民意主調，候選人一定會打這張牌，以此攻擊對手。此舉是，上接大人民生聖旨，下應本港普羅眾生。所以 3 月的地產股應該倒霉，有些冤枉。但我們也知道自己的期權「實力」，所以基本的期權策略就是 Short Call + Long Put，持有正股應該兩樣都做，無正股則只能做 Long Put。Long Put 應該 Long 近的行使價但 3 月和 4 月同時做，因為本月 25 日是「小選」結算日，結算後要最起碼要有一個月的恢復期，若是「流選」，時間值更長，所以短期看淡地產股的勝算頗高，以『期權循環圖』的觀點，這是選舉因素造成的『升有限』。

ED>] AE:6001

買賣指示 | 持倉 | 成交結算 | 現金結餘

平倉

名稱	上日持倉	備兑	市價	盈虧	股票期權淨值	參考兑換率
新鴻基地產	40	0	110.50	4,420,000.00 HKD		1.0000
新鴻基地產 2012-03 11250 Call	-10@7.8500	10	0.78	70,700.00 HKD	-7,800.00 HKD	1.0000
新鴻基地產 2012-03 11500 Call	-30@0.5533	30	0.28	8,200.00 HKD	0.00 HKD	1.0000
新世界發展 2012-03 1000 Put	10@0.3400	0	0.88	5,400.00 HKD	8,800.00 HKD	1.0000
新世界發展 2012-03 900 Put	50@0.0810	0	0.14	2,950.00 HKD	7,000.00 HKD	1.0000
新世界發展 2012-04 875 Put	15@0.1600	0	0.23	1,050.00 HKD	3,450.00 HKD	1.0000

（圖：新鴻基（16）和新世界（17）的期權操作實例）

從圖中可見，有股票做 Short Call，利潤遠勝收股息，新鴻基（16）是強勢股，但近年來最高也只是派過 2.40 股息（2011 末期）。所謂有「備兑」Short Covered Call 就是指持有正股開倉，這種形式做 Short Call 是免按金，十分划算，不知閣下是否有做。Long Put 是投機，隨時準備全軍覆沒，所以只能用部分利潤做，或全部損失都不會心痛的錢做，心態是不到價不收兵。若觀點對，回報不能算百分比，要以倍計。新世界（17）派息一向孤寒，加上第一代領導人榮休，官商緋聞不斷，短期難看好，股價回落後另計。

從表中可見有期權的地產「霸權股」本月股價走勢，你可能會心中微笑，為何在港指點江山的地產股反而在「小選」中不斷下滑。對這幾個股票 3 月份的結算預計，是來自股價趨勢與支持阻力位的觀點，而 4-5 月份波幅範圍預計是黃金比例，若是「流選」，建議平即月 Short Call 立即轉 4-5 月的 Short Call。

若閣下懂得期權專業技術，又善於利用天時地利人和，『三茶兩飯』一定沒問題。

	3月1日	3月12日	3月22日	預計3月結算	4-5月預計波幅範圍
1/ 長江	111.40	108.40	103.40	98 — 101	93.04 — 113.76
12/ 恆地	47.40	46.25	45.70	42 — 44	40.71 — 50.69
16/ 新鴻基	116.55	115.40	110.50	104 — 106	99.97 — 121.03
17/ 新世界	9.87	9.41	9.13	8.5 — 9.03	7.77 — 10.48
19/ 太古	88.10	87.05	86.90	84 — 86	79.66 — 94.14

（表：五大地產股於三月的股價抽樣和預計結算及波幅範圍）

2012/04/06

　　這是一篇頗為經典的文章，一直是期權教室股票堂的選讀文，這種股票期權的機會在香港經常有，但問題是閣下對該股的認知如何，大藍籌反覆下跌的個案也有，但不多，所以教室講股票期權是：「少則得，多則惑」。只有平時對目標股票做足功課，機會來時才能做到運籌自如。

股票期權的機會與策略

　　上週五新鴻基復牌後大跌14.6（13%），收96.50，最低是開市時的94，最高也曾見99.25。該股是眾基金的愛股，也是許多地產好友的長期持有股。上週五暴跌，成交大增至120億，佔大市成交16%之多，一個地產藍籌有如此之影響力，可見眾地產股在恆指的地位。當日恆指四大分類中：工商+49點，金融+10點，公用-67點，地產-1306點，十分罕見。這種現象看起來有些「黑天鵝」，但想起魯賓尼（Roubini）在他的著作《Crisis Economics》書中所言，由於突發事件的會經常發生，「黑天鵝」也會變成了「白天鵝」。

《期權 Long & Short》之進階篇

香港的政經醜聞開始不斷浮現，今後也會見怪不怪，我們要面對的現實是：香港的地位和聲譽，經此一役，將每況愈下，香港人，不論是士大夫還是庶民，都是輸家。

早前有文章提及在不倫不類的選舉階段，不能看好地產股，所以有開地產股的淡倉，但不是做新鴻基，因為新鴻基是絕對強勢股，不論從哪個方面看，都值得持有。Long Put 看淡該股會輸時間值，不過也有權術高手經驗老道，以平均線定策略，此回吃了「肥雞大餐」，希望消化良好。

當天，本人對新鴻基的觀點是『期權循環圖』的『跌有限』，認為可以開 Short Put，但也要守規矩，要分注進場。因為第一天跌，從當日（上週五 /3 月 30 日）的 15 分鐘圖看，開市後 30 分鐘已見當日高位 99.25，以收市 96.50 計，回落 2.7。再看開市頭 15 分成交 39 億，相對全日成交 120 億，只有 1/3，也就是説全日的主要交易時段是在回落。因此，我們要有對該股還會下滑的預期，不能開盡，要留一手。急跌日，引伸波幅 IV 拉升至 36，相比停牌時的 24，漲足 50%，十分有利 Short 倉。

本週一，4 月 2 日，該股繼續下滑，低見 92.35，收 94.4，出現長下陰線，也正是時機可以再加開 Short Put 倉。本週二，股價開始爬升，一度升超過大跌市的收市價 96.50，最高達 97.40，收 96.25，説明主要的沽壓已解除。由於是升市，引伸波幅 IV 也略微收縮至 32-34，是開 Long Call 的時機。這就要期權教室建議的動態做期權的方法，Short Put + Long Call 完成對該股的策略。

從新鴻基（16）的日線看，短期很可能在 90 - 100 的區間徘徊，但最低可要預計至 85，如同去年底及今年初的表現，可是一但升穿 100，新的升浪可能會展開至 110 的水平。過往新鴻基（16）的期權盤路一向不突出，通常單一行使價的未平倉合約都不過千張，

較為平穩，引伸波幅也是維持在 24-26 的水平。但上週五的期權盤路則大增（見表），
2 千張以上都有 3 個 Put 的行使價，而且未平倉合約都是大比例正數，可見要做正股保護
的需求大增，若閣下無貨在手，應該是收期權金的良機。

對於保守的期權操作者，Short Put 輕微價外準備接貨是標準動作，比如說做 90 行使
價，收 2.00 以上的期權金，準備 88 接貨，這應該是不錯的選擇，因為最低預期也就是
85。也見投機人士者大手做當天的價外期權，也就是 85-82.5 這個區域，因為引伸波幅
更高，用十分投機的心態，以期權金輸多少定止蝕，大手 Short 的值博率也是頗高。因為
股價不必有大變動，只要引伸波幅 IV 一旦收縮，價外期權就進入「半熟」的狀態。

股票期權是十分值得港人學習的投機工具，雖然流通量不夠，但經常有炒作題材，
波幅夠，再加上大藍籌每年都公佈業績兩次以上（參看〈業績公佈期的股票期權策略〉，
筆者今年 3 月 9 日的文章），造就了不少期權買賣的機會。

行使價	成交量	3 月 30 日 期權金高／低	未平倉合約變動	4 月 5 日 期權金高／低
Put/95.0	2074	3.23 ／ 1.9	1069	3.60 ／ 2.20
Put/92.5	1690	3.13 ／ 1.11	1006	2.40 ／ 1.46
Put/90.0	2000	2.33 ／ 0.65	1241	1.45 ／ 0.80
Put/87.5	918	1 ／ 0.33	729	0.86 ／ 0.51
Put/85.0	2077	0.72 ／ 0.22	1581	0.34 ／ 0.30

（表：新鴻基（16）3 月 30 日期權 4 月主要行使價的成交狀況）

《期權 Long & Short》之進階篇

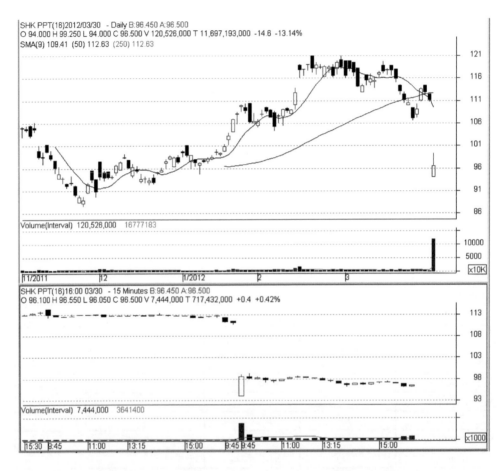

（圖：新鴻基 (16) 日綫圖 (2011/11 至 2012/03) 及 15 分鐘圖（急跌前後））

2012/05/18

　　這篇有趣的文章值得操作股票期權的朋友細讀，因為這是經歷了一個頗為完整的循環，從 Short Put 買進，到高位出貨，到補貨，補碎股等等。筆者認為，若打算長期操作，不妨進取些，進一次出一次，許多操作流程也就明白了。

股票期權：大藍籌小插曲

　　在香港操作股票期權，機會特別多，原因香港的藍籌股按每年計，一般都有兩次，甚至四次的公佈業績和派息（Announcement / Dividend），造成股價波動，待派完息後（Payable date），股價又會恢復平靜，也就是所謂除淨因素（Ex-dividend），股價減除了股息的影響。由此而造成的波幅有時可以相當高，為期權買賣提供機會。這是一種頗有規律的股價波動現象，市場上操作期權之人士對股息的興趣也會充分表現在派息日，若對股息有興趣，Long Call 進入價內，持倉者就會要求執行，在除淨日前獲取股票，收取股息。在派發股息的方式上，大多數情況都是現金，但有時也會出現以股代息的方法，所謂現金或實物交收（Cash / Scrip），由股票持有者自己選擇。

　　筆者去年底在期權教室分析過新世界（17），建議利用供股期（Rights issue），以供股價 5.68（Subscription price）為目標開 Short Put。有位朋友成功開倉並收到 15 手股票，等於十分接近供股價買進該股。買進後，擔心的心情只持續了非常短的時間，因為今年初該股就開始上升，此兄十分高興。高興之餘問及如何開 Short Call，因為可以增加額外收入。本人認為該股的下跌是從 9 元開始，所以建議 Short Call 該位，若是被 Call 出貨也是瀟灑走一回。為了收多一些期權金，此兄一月份開倉 Short Call 三月，也算可以接受。

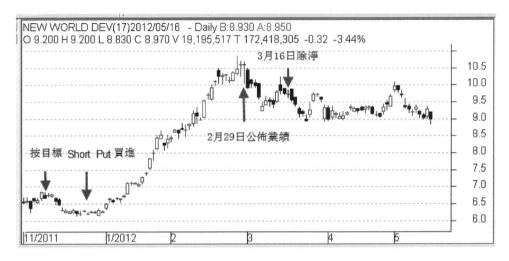

NEW WORLD DEV(17)2012/05/16 - Daily B:8.930 A:8.950
O 9.200 H 9.200 L 8.830 C 8.970 V 19,195,517 T 172,418,305 -0.32 -3.44%

3月16日除淨

2月29日公佈業績

按目標 Short Put 買進

（圖：新世界（17）日綫圖—2011/11 至 2012/05）

　　此股今年初十分神勇，屢破大關，在二月底在公佈業績時一度升穿 10 元，最高見 10.86。此兄見況，在 2 月 29 日股價回落 10 元前沽出正股。筆者得知問此兄，閣下沽出正股，等於 Short Call 是沽空，應該不是本人的建議，此風險閣下如何應付？但此兄 very smart，他認為三月還有足一個月，回落機會大於再上升，因為新世界（17）十分孤寒，只有 HKD0.10 息，15 手股票也只有 HKD1,500 息，不會有人要正股收息，因為賺期權金比賺股息更划算，持倉到三月底平 Short Call 可能還會有利潤。

　　3 月 16 日是除淨日，但在 15 日收市後，此兄收到通知，他的 15 手 Short Call 全部被 Call 貨（説明本港好息之徒是「盛」不是「剩」）。好彩他沽貨後的現金和利潤還未提取，所以他也可以十分瀟灑地在 16 日立即用低於 10 元的市價買進然後交貨給對方，完成合約。

臨近派息日期，他又接通知，要賠股息。因為對方 15 日用 Long Call 買進，是享受有股息待遇的股票，但此兄 16 日在市場買回股票後交貨，這些股票是沒有股息待遇的。對方收到沒有股息的股票，當然要追討股息。對於此兄，15 手股票，每股 0.10 息，共 HKD1,500 股息，OK，立即支付。但問題又來了，對手 Long Call 後買進了股票，可是這位高人對手在股息方面，不要現金要股票（因為此次派息是現金或實物），也就是要 150 股股票。Jesus! 新世界（17）每手是 1000 股，若要交 150 股，可以在市場上買一手，1000 股，交出 150 股，留下 850 股不足一手的碎股，或用高於市場的價格，買 150 股碎股交給對手算數。此兄怕煩，選擇後者，麻煩一輪後算賬，這裡涉及的手續費，包括買賣正股，買碎股，期權交易費等等，可能是該股息的數倍之多。

事後本人與此兄 Happy Hour，我說若您不沽出正股，就不會有這些麻煩事和費用。誰知此兄笑答：是煩，but it is a Happy Problem! 請你一個 round。

2012/08/24

在這個案中，筆者也有數位客戶的正股被 Call 走，若是無貨沽空，除非 Short Call 的期權金非常豐厚，否則，要在 69.50 的水平買貨交付股票，感覺不會好受。

股票期權：從業績期定策略

根據港交所的資料，股票期權是近年穩定有雙位數字增長的產品。這個現象說明不少業內人士開始積極推廣期權，越來越多的股票持有者不斷進入市場。從散戶層面看，

《期權 Long & Short》之進階篇

期權教室強調：有現金，主力 Short Put；有股票，主力 Short Call。

　　持有股票做 Short Call，所謂 Covered Call 是我等股票持有人的標準期權動作，但除了要看股價及成交量，我們還要留意該股的業績公佈日期和派息事項，包括派息內容，方式，除淨日，截止過戶日期等，因為這些都是導致大量股票持有人作出決策的因素。這些因素就像分析股票基本面一樣重要，只是散戶分析股票大多只能做技術分析，基本面分析是無法與大戶相比，但分析期權因素，散戶是有機會與大戶平起平坐。

　　匯控一年派息 4 次，幾乎每次都是散戶做 Short Call 的機會，做 Short Call 的最大風險就是按行使價出貨，所以有股票和無股票大不相同，有股票才是較為正統的 Covered Call。我們以匯控今年的中期業績為例。本月 14 日，除淨日（8 月 15 日）前，匯控（5）期權有大動作，8 月和 9 月 Call 位出現大型減倉，而各 Call 位的總數達 26,025 張（圖 1）。減倉不單是有平倉，而是有大比例被行使，因為當日港交所報告出現達 6.6 億的大額執行成交（Exercised turnover）（圖 2）。大家要留意的是這些金額是執行期權而產生的，是不會計入每天大市成交（Cash Market）之內。當日大市成交 561 億，匯控期權行使成交就超過大市成交 1%。若閣下有股票在手當然無問題，若無，你也會因要出貨而出現狼狽現象（表）。若要在現貨市場買貨才有貨交，可能還要賠息。

	IV	開市	最高	最低	收市	成交	沽空$m	沽空比率	沽空排名	Call成交	Put成交	Call增減	Put增減
2012/8/16	18	68.65	68.65	67.95	68.15	6710980	84.1	18.3	13	5548	5120	1336	2882
2012/8/15	18	68.10	68.45	67.80	68.15	9311690	86.4	13.6	13	3517	12417	800	6706
2012/8/14	18	69.00	69.50	68.95	69.50	17475200	125.5	10.4	14	9135	9365	-26025	2181

（圖 1：匯控 (5) 股價與期權成交及倉位增減—2012/08/14-16）

　　當日（14 日）股價最高 69.50，我們見 8 月（即月）被執行，9 月（下月）亦然，只要到位，幾乎全部被執行（表）。可是跟隨的兩天，股價並沒有明顯波幅（圖 1），可見此動作是意在取息。

```
DETAILS OF OPTION EXERCISED ON 14/08/2012

CODE   NAME OF STOCK   CUR DETAILS                         SHARES TRADED        TURNOVER  ($)

   5 HSBC HOLDINGS    HKD 30.00-24,000 32.00-35,200        10,688,000          660,867,600
                          34.00-7,600 36.00-24,000
                          38.00-18,000 40.00-72,000
                          41.00-24,000 42.00-60,000
                          43.00-12,000 44.00-72,000
                          45.00-12,000 46.00-84,000
                          47.00-48,000 48.00-33,600
                          49.00-24,000 50.00-60,800
                          52.50-154,000
                          55.00-355,200
                          57.50-620,400
                          60.00-1,424,800
                          62.50-2,900,400
                          65.00-2,953,600
                          67.50-1,668,400
```

（圖 2：匯控 (5) 大量期權遭行使—2012/08/14）

Call 位	8 月	9 月
60.0		-2605
62.5	-1072	-6257
65.0	-7802	
67.5	-4533	

（表：匯控 (5)Call 位大減倉—2012/08/14）

　　大型股票基金的對沖策略可以變化萬千，經常是沽出股票後持 Long Call，隨時保持在某個價位從新買進的權利，靈活補倉，補倉後也可以在賬面顯示股息。在沽出股票後持 Long Call 的同時是手持現金，所以當股價不斷下跌時，也可以逐步在低位買回。

　　至於為何要美金 0.09 的股息，那不是我們要研究的問題，我們要關注的是獲息後會如何處理股票。

市場在目前這個階段，主力藍籌升至某個高位，沽壓就會出現，但同時 Call 位也會加倉。由於大戶沽貨後手持現金，Put 位的主動 Short Put 不易增加。因為散戶可以用 Short Put 進貨，接不到貨，收期權金也不妨。但基金不同，基金不能只滿足期權金的收入，若股價持續上升，就必須及時補倉，也就是現貨買進，不能等。

所以期權教室經常強調要小心無股票的 Short Call，不要以為及即月期權要到月底才會被行使，如（表）可見，即使是 9 月也會被執行。所以，特別是在除淨前，若預期開 Short Call 的位會到，閣下不想出貨，策略要早定。業績期月份不重要，重要的是行使價，也就是說，搬倉不但搬月，還要搬位。

有此大動作，我等散戶的思考是：貨源又回到大戶手上，下一步期權策略應該如何準備呢？筆者的觀點是；若對匯控（5）有風吹草動的負面消息，大量的現貨沽壓又會出現，屆時不妨 Long Put。

2012/10/19

這篇文章是為準備沽貨而制定的策略，當 Covered Call 變成 Naked Call，手上的 Short Call 就會有風險，即使是在市場上買回交貨，差價也無可避免。所以若要沽，就要有 Short Put + Long Call 的計劃，Short Put 等於是沽貨後現金在手，Long Call 則是對沖了 Short Call。當然，行使價和月份的選擇頗有技巧，要運用所謂天時地利人和，在開 Short Call 時已有考慮。

Covered Call 的股票期權策略

筆者認為，期權 /Option 的精彩之處是變化萬千，每個參與者，不論是投資還是投機，都有機會自行制定自己的期權策略。執行自己制定的策略，其過程就是一種滿足感，若能做到有盈利結算，那就是雙份滿足，若是出現虧損，那也是經歷了過程。在這個過程中的獲利機會又如何，偶像科斯托蘭尼說：他的利潤是在 51 次賺錢，49 次賠錢的過程中獲得的。這句話的內涵是：關鍵不在於賺錢的次數比賠錢多，關鍵是每次賺的錢要比賠的錢多。

許多朋友持有股票，開 Short Call 是標準動作（也就是 Covered Call），若沒有做，期權教室的講法是對不起股票，但閣下必須要認同和心理上要接受，不介意在 Short Call 範圍出貨（行使價＋期權金），也就是沽貨。

開 Short Call 雖然是標準動作，但不建議按日曆開倉，也就是說不應該每逢月初就開即月 Short Call。不否認，這種方法較為簡單，容易理解，就是要賺一個月的時間值，但此法欠缺對波幅的考慮。筆者認為期權是帶有時間概念的波幅性產品，應該以波幅為主導去制定策略，其它因素輔之。所以，筆者『期權循環圖』的理念為：Short Call 是『升有限』(Limited upside)，也就是說要在波幅處於『升有限』的時刻開 Short Call。若『升有限』的波幅出現之時又是處於日曆之月初，那就是絕佳 Short Call 即月的機會。

選擇行使價開 Short Call 也頗為講究。若閣下持有的是貴貨，目前是處於「蟹貨期」，在情感上閣下是不願意輕易出貨的，所以要選擇較高的行使價，當然，出貨機會較低，但期權金收得也少。行使價的選擇可以參考 ATR/N 值（今後會有文章分享），若不想出貨，兩個 N 值以上較為穩妥。若持的是便宜貨，目前已有利潤，閣下也接受瀟灑走一回，不妨 Short Call 近價，一個 N 值左右，甚至是等價。若看得準，波幅大，引伸波幅高，在

《期權 Long & Short》之進階篇

『升有限』時做 Short Call，利潤會頗豐。若看錯，也就是沽貨套現，沒有什麼大不了的事，現金到手又開始制定下一個目標策略。這就是筆者『期權循環圖』的循環理念。

開 Short Call 後，若股價橫行，閣下當然高興，期權金天天收縮，閣下的事就是等結算。但若股價下行，閣下可以將原前的 Short Call 平倉獲利，再將行使價下移，繼續 Short Call。不論何時開倉，若是開倉後一兩天，股價出現突然的大跌，期權金收縮一半以上，不妨立即平倉，吃『半熟牛扒』，因為這種突然的大跌都會伴隨反彈，閣下可以在反彈時再開 Short Call。

較難處理的是 Short Call 後股價不斷上升，但看到自己的貨就快被 Call 走（Assigned），心理會不舒服，或者是很想在高位沽貨，但由於是 Covered，不能輕易出貨。較容易做的策略是搬倉（Rollover），從即月搬至下月，行使價也可以搬高。不否認，這是一種策略，但要做到不會輸錢，因為平舊倉時，虧損會立即出現。開新倉所收的期權金要能補償平舊倉的虧損，否則要小心。因為若股價下跌，閣下會既輸了期權金，又輸了股價。筆者在此建議另一種策略給各位參考：這是在持有正股，已開 Short Call，股價升幅已進入 Call 貨區域，再開較為貼價的 Short Put + Long Call。此策略的靈活性較大，是準備在高位或在回調時沽出正股，保持現金在手，用以對沖 Short Put，因為若要接貨，該批貨一定是帶有利潤的貨，接得心安。若股價上升，要在市場買回交貨 Short Call，手上也有現金，更重要的是 Short Put + Long Call 在上升中可以提供頗佳的利潤，有效地對沖沽出正股後股價上升的風險。

沒有正股，通常是不建議開 Short Call 的，因為這是沽空，風險較大，唯若閣下有自控能力做到以下四點另計：一）懂得看技術指標；二）願持倉兩個月或以上；三）選行

使價有兩個 ATR/N 值以上；四）確定張數是自己可以承受的風險。這四點將是本欄下期的內容。

2012/11/02

　　Naked Short Call 不是一個好策略，但卻是許多人希望做的動作，因為股票下跌的機會幾乎與上升一致，機會率高，引誘大，筆者偶爾也會小注試眼光。除了股價的『升有限』外，若能再加上 IV（引伸波幅）和時間值等因素的考量，勝算更高。

無正股開 Short Call 的期權策略

　　沒有正股，通常是不建議開 Short Call 的，因為這是沽空，無貨沽空，風險較大。大戶做沽空，是從沽空的成本考量，若成本低，機會出現，當然會狠狠做一回。目前有些證券行提供借貨服務，讓散戶也有機會參與，但不知普遍的效果如何。本文是從散戶的立場分析，用借貨沽空與做 Naked Short Call 做比較，認為後者可能更適合散戶靈活的身手，因為借貨有利息成本，若股價橫行不跌，利息成本不斷上升，若股價上升，更是要賠錢。但後者在股價橫行階段可以賺時間值，若見股價上升，還有一招搬倉（Rollover）可以選擇，不一定會輸錢。

　　做 Short Call 在『期權循環圖』中是『升有限』(Limited upside)，如何判斷『升有限』是頗帶主觀性的。但若從做 Naked Short Call 考慮，機會較多而把握又較大的是業績期，因為多數情況都是好消息推高股價。大藍籌一般每年都有 2-4 次公佈業績，但內容不同，

《期權 Long & Short》之進階篇

所以我們可以用業績期作為部署 Naked Short Call 的主要時間段，但要避開派息，送紅股，等等對股東有利的因素。

期權教室講開倉的八大步驟中第二個就是要做技術分析，技術分析頗為長篇，在此不贅。技術分析基本功是要看懂保利佳通道（筆者稱為「期權之道－－保利佳」）、MACD、STC & RSI。若這些技術指標在業績期都出現在高位，股價也是明顯在短期的高位，閣下開倉的勝算高好多。

由於是建議做 30-50 天的期權，所以都是開即月、下月、最多是再下月的期權。不能太短，太短時間少，期權金也少；不能太長，時間長當然期權金多，但風險也同樣增加。由於是十分投機的行為，應該做保守的投機者。

基礎堂講：選擇行使價＋時間＝選擇風險。若我們決定做 30-50 天的期權，行使價的選擇可以看圖，找阻力位，頂位，等等。還有一個選擇是 ATR/N 值，這是海龜投資法的波幅指標，對於做波幅的投機人士（Volatility Trader）值得參考。對於做 Naked Short Call，一般建議是最少兩個 N 值，若做 4 個 N 值（波幅難達之位），當然最好，可是期權金太少。

開倉的張數應該保守，因為是十分投機的行為，按海龜投資法，張數與 N 值有關，N 值小，張數必須少，因為是波幅可達之位；N 值大，張數可以多，因為是波幅難達之位。但從筆者的觀點看，閣下的張數要與資金準備配套，做最壞的打算，萬一股價上升，你要搬倉，可能為了保本還要增加持倉。

股票期權沽空 Naked Short Call，可以無需付借貨利息，又可以收期權金，是誘惑非

常大的投機行為，做對方向，滿足感非常大。不過有時市況會逆轉挾淡倉，持倉者要有轉倉機制，令自己立於有利位置。轉倉就是搬倉，搬倉是做期權的標準動作，但要有技巧，而且轉倉行動盡可能於同一天完成，假如新倉先開，收市前務必平掉舊倉。因為這種狀態一般都發生在等價甚至價內，如果想博僥倖留待下一天平舊倉，風險頗大，因為屆時閣下倉位的數量可能要增，加大風險，說不定會陣腳大亂。

舉例講：9 月 17 日見騰訊（700）價位到 $260 上市以來新高，無正股在手，開倉十月 Short Call 270 收期權金 $4.50。10 月 25 日股價挾上 $273，期權金漲至 $4.70，為求達到賺期權金目的，將倉位移往 11 月。方法是將 10 月倉平倉付 $4.70，然後開倉 11 月 Short Call 280 收期權金 $5.00，若進取，還可以開 11 月 Short Call 270 收期權金 $9.40，但必須同一天完成，倉位數目可以保持一致。

期權世界，變化萬千，各自精彩。

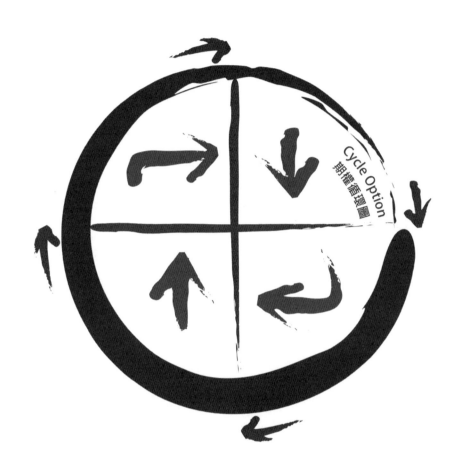

Cycle Option
期權循環圖

股票期權
2013

《期權 Long & Short》之進階篇

2013/02/08

　　這是一個頗為值得研究的個案，特別是在中國資本市場向全球開放的時代，機會處處。但在分析這種個案，是不能以傳統的經濟學理論，中國此刻是經濟強國，更是政治大國，我們做分析要有政治觀點。

　　在期權教室的股票堂的講題是：零成本賺萬元。策略是用利潤不斷 Long Put，直至見 59！

做個股分析的期權機會

　　做個股期權，在選擇行使價時，大戶的成交價有重要的參考價值。我們用平保（2318）為例，上週雨過天晴（內部的政治角力可想而知），中保監最後通過讓泰國正大自資買平保。結果是正大成了真正的大贏家，因為以正大與匯控的交易價 59 元計，上週股價已大升 20%（上週五 2 月 1 日收 70.80）。

　　此次大戶交易成功，筆者認為這當然是正大涉足金融業的里程碑，成為中國平保（2318）海外的最大股東，在可見的將來不會有人挑戰正大，也無從挑戰正大。這不單是振奮正大，而且振奮泰國，但我們無法得知的是成交額中的政治成分。

　　筆者從保險業的專業角度看，正大是起家於做飼料，在飼料行業絕對是大品牌並具有龍頭地位，之後才開始做零售業及新興的通訊業。對保險行業，應該是即無經驗也無人材，所以，此刻看或者是表面看，是一個投資。

　　從開拓市場看，在東南亞市場，若正大要協助中國平保開拓市場，估計較難與 AIA 等一流品牌的保險公司競爭。正大雖有地利，但不見有人和。若是挖角搶人鬥價格，似乎也不是東南亞的人文精神。

從公司形象看，保險業對品牌都頗為講究，所以當年中國平保用低價利誘匯控這塊金招牌反射自身。今天，有這樣一個有錢的，但是主力做飼料行業的大股東，似乎對平保本身品牌的助力不多。不過，也可能是今時今日「中」字品牌已不需助力了。

從資金角度看，中國平保如今是響噹噹的品牌公司，若有公司要想代替匯控成為海外大股東，應該以價高者得，那就無話可說。因為有人出得起錢，可以給溢價，但表面看似乎並非如此，所以內裡應該有政治成分。

綜合以上的分析，匯控不是贏家，因為沒有賣出好價，也失去了一個大品牌，大股東平保也沒有贏，因為新貴似乎難以有業務上的協同效應，更無品牌效應。兩者都是輸家。因此，只有正大得益。筆者難以想像有如此之好事，從多個方面看都有問題，充滿太多不合理性，因此認為此股必跌！這就是科斯托蘭尼所講的：要有想像力。筆者在期權教室講解 Long Put 比亞迪 1211，用世界上最有錢的人和最聰明的人的照片啟發想像力，也是如此。

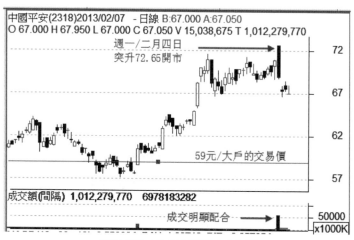

（圖：平保 (2318) 日綫圖及成交額）

《期權 Long & Short》之進階篇

　　觀點明確，就要等待機會。本週一，2 月 4 日，平保 2318 突然大幅高開在 72.65，機會到，立即開 Long Put（由於沒有正股），行使價選 70 元，因為這是近期的絕對高位，若跌必穿。時間選即月，因為是月初。結局是下午收市前已有 3 倍以上的回報，正股成交明顯配合。但如何處理手上的持倉就頗為因人而異：可以是先行獲利，等待下個機會；也可以獲利後保存本金，用利潤再開；也可以是全部持倉，因為已經進入價內，內在值豐厚，若估計本月內無法升穿 70，只是賺多賺少，持倉無妨。當然，持倉還有其它各種方法，這就是期權的大千世界，不贅。

　　有了會跌穿的位 70 元，是否有跌不穿的位？筆者的觀點認為短期有，就是大戶的成交價 59 大元，也就是該股的價值位。所以，策略上可以是保持倉位，在持倉合約結算前，若真的會到 59 附近，就平 Long Put，但同時反手開 Short Put，要做到接貨價在 59 以下，與正大一起做「著數」股東。

2013/02/22

	行使價	手數	期權金	利潤	成本	股數	
快	8.50	5	0.18	1800			
准	9.00	5	0.51	5100			
狠	9.25	5	0.54	5400	9.25	10000	
狠	8.25	10	0.30	6000			
				18300	-1.83	10000	
					7.42		
				股息	-0.25		
					7.17	10000	紅股 30%
				紅股	5.51	10000	+3000

(表 1：中石化接貨最後成本價的計算方法)

上過期權教室股票堂的學員一定記住這個案例：接貨中石化（386）的最後成本價是 5.51，有了絕對的本錢開 Short Call。

股票期權的迷人之處是綜合運用，這當然是頗為動腦的功夫，但筆者非常喜歡。

個股期權　快！準！狠！

蛇年第一篇文章，杜 Sir 在此要祝各位學曉「蛇權」，出擊要拳拳到肉！俗語講：「炒股不炒市」，但在彎彎曲曲的蛇年，大市經常會是似升不升，個股會是似跌不跌。應市策略應該可以炒股又炒市，但必須是如蛇一樣，靜待時機，一旦出擊，就要做到：快！準！狠！期權教室一向主張將指數期權和股票期權分家，2012 年 7 月 4 日筆者在港交所推廣股票期權的講座上提及，對沖是期權的核心，但指數期權和股票期權的對沖物不同，策略也不同。

要做到出擊的境界「快！準！狠！」，筆者認為股票期權的機會可能會多於指數期權，因為有 62 隻股票提供選擇，機會自然多。上篇講 Long Put 平保（2318），保持 70 大元的 Long Put 位，但若跌至 59 就要反手做股東，今天我們講中石化（386）。

傳聞是中石化由於要向母公司買資產，主要是買一系列母公司的海外資產，所以要配股集資。集資總是負面消息，2 月 5 日股價裂口下跌，2 月 6 日雖見反彈，但 2 月 7 日繼續下跌，波幅擴大（見圖 1）。消息傳來，配股價 8.45，但不是公開配股，而是由約不到 10 位新舊股東瓜分，集資金額達 240 億。我們暫且不要討論此次配股是否公平合理，但相信用不公開配售的方法是令此次集資行動簡單而快速，可能成本也低。而且可以肯定的是：獲受配股的新舊股東一定不會短期內沽出，他們應該是市場上堅定的持有者。

不過，若港交所能要求中石化（386）完成集資後公開配售細節，股東及股份，市場反應可能會更正面。

　　雖然中石化澄清購買資產還未有最後決定，但筆者認為購買母公司的資產應該是對子公司有利，因為母親一定愛子女。而且海外資產由 H 股的中石化（386）管理，可能更容易產生協同效應，這是好事，應該跟進。但作為散戶，若能運用期權策略，可能更勝一籌。

　　由於目標明確，配股價 8.45 也清晰，股價兩天（2 月 8 日和 14 日）的低位都在 8.56，與配股價相差無幾。對大戶而言，配售後立即跌穿配股價，這似乎說不過去，但對散戶而言，機會極佳。最有利的方法就是 Short Put 8.50，也就是等價 ATM，期權等價的 Delta 處於 0.5，是開 Short 倉的有利位置。所以，可以用市場價成交，不必等。這就是：快！

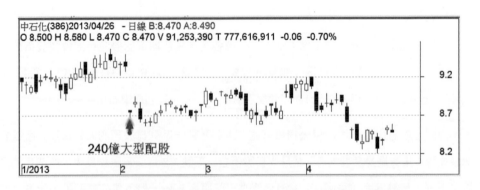

（圖 1：中石化 (386) 日綫圖—2013/01 至 2013/04，本圖乃後期補上，以顯示配股後股價的走勢）

　　消息繼續傳來，大行的分析報告給予的目標價是 9.20，這是給該股正面的信息，對於較為進取的投機者，完全可以開 Short Put 在 9.25，當然，這是 Short 價內 ITM，是準

備接貨的策略。由於該股去年 2012 年 3 月 25 日公佈業績，派息 0.20 人民幣，除淨是 6 月 7 日，估計今年也不會太走樣。所以，Short Put 價內接貨，若接到，還有潛在利潤 RMB0.20 的股息，等於 HKD0.25，每手可以收港幣 500 大元。這就是：準！

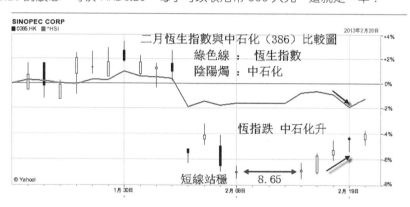

（圖 2：恒指與中石化 (386) 比較圖—2013/01 至 2013/02）

從比較圖看（見圖 2），恆指跌，中石化（386）升，這說明該股是出於『期權循環圖』的『跌有限』，是有穿泳褲不怕潮退（註：此比喻來自巴菲特）。似乎該股已經站穩 8.65，於是可以考慮加注 Short Put，而且是大手筆，但必須選擇 8.25/8.00，短期的不到之位，因為根本不想接貨。此策略頗為投機，風險也高，一般不建議。但這就是：狠！

蛇年出擊，模仿蛇性：快！準！狠！

《期權 Long & Short》之進階篇

2013/03/22

建議準備落場的人士將此網頁的每一條鏈接都看看,了解如何獲取資訊。在期權教室的網頁,教室已將主要的功能單獨開鏈接,方便大家使用。

港交所股票期權網頁大翻新

香港交易所近期積極推廣股票期權,筆者前天參與了交易所新網頁開通的 Columnist Briefing,由交易所的專業人士對全新的股票期權網頁作出解釋。作為期權操作者,筆者十分看好這個新網頁,因為這是根據香港期權市場的實際需求而開發出來的,可以媲美歐美市場頂級期權網頁,比起舊網頁是具有革命性的改善。筆者昨天簡單地聽介紹,已經可以體會到開發人員的認真態度和辛勤努力。

網址是 www.hkex.com.hk/stockoptions/,值得各位上網瀏覽,享受一下期權世界的精彩,即使閣下不操作期權,您也會大開眼界。若閣下操作期權,您會樂而忘下網。

筆者初步看,最吸引之處是股票期權搜尋,閣下可以從價內到等價再到價外,以股價的百分比選擇股票期權,當然,用百分比選擇不一定是該股票準確的期權行使價,但起碼提供了最接近的行使價選擇,這是頗為具專業技巧的選擇,請各自體會。若簡單些,閣下也可以從選擇期權金去選擇股票。比如說:若大市升至某個高位,處於『期權循環圖』的『升有限』階段,閣下可以先設定「到價」,然後用期權金 10% 選股票。若選中,採用 Short Call 收期權金,也就是說閣下願意將該股在高出 10% 左右,在指定的時間和指定的行使價沽出。

　　當然，這些都是輔助工具，對股票的認知還是需要閣下自行做功課，對該股的基本面要有看法，帶著自己的觀點在此網頁搜尋，功效可能倍增。

股票期權
更新日期：20/03/2013

　　香港交易所股票期權專頁為投資者提供一個全面的股票期權資訊平台。初學者可以先參閱期權ABC及香港股票期權投資指南以學習期權基礎知識。進階投資者可使用期權／權證計算機及組合分析儀去評估期權的理論價值。投資者亦可方便地搜尋股票期權及查閱十大成交股票期權系列及期權價格。

▸ 股票期權搜尋
▸ 十大成交股票期權系列
▸ 刊物
▸ 期權工具
▸ 期權教育
▸ 交易資料
▸ 莊家／流通量提供者資料
▸ 統計數據
▸ 股票期權通告
▸ 常見問題
▸ 開展股票期權業務〔即將推出〕
▸ 股票期權資訊發布〔即將推出〕
▸ 網站指南

（圖：港交所新設的股票期權專頁，網址：www.hkex.com.hk/stockoptions/）

《期權 Long & Short》之進階篇

另一個令筆者開心的是：這個革命性的網頁沒有像過去那樣，掛上十幾二十種令人眼花繚亂的所謂期權招式，只是簡單地說明基本期權策略：認購期權長倉（Long Call）、認購期權短倉（Short Call）、認沽期權長倉（Long Put）、認沽期權短倉（Short Put），這也就是期權教室一直以來所提倡的四大策略。其實，若閣下明白了這四大策略的功效，其他的合成策略是根據自己的需求自然而生的。

初步看，此網頁的不足之處，可能是沒有充分說明操作期權時可能會出現的各種風險。因為做期權，風險和策略有很大的關聯性，因為選擇多，風險也多，但相信這也就是操作期權較難用文字描述的原因。

雖然這是略有不足之處，但無損這個革命性網頁之大雅。期權教室在今後的日子裡將積極推廣和介紹這個網頁，採用這個網頁的數據進行教學，令廣大讀者不單看得明，而且用得巧，賺到錢。

筆者相信，香港的期權市場通過推廣和教育，將會有更多的保守人士（長期持有股票或長期持有現金）參與期權買賣（如同美國的期權市場）。但筆者不認為推廣期權這是搶了窩輪牛熊證的生意，因為窩輪牛熊證是投機型，雖然兩種工具都是具有期權理論，但這是兩種不同類型的人士參與的市場。

本月 25 日，下週一 6:00 － 7:30，本人將出席由交銀國際主辦與交易所贊助的股票期權講座並作發言，有興趣的朋友可以試試 http://bocom.eventbooking.com.hk/ 看是否還有餘位

2013/07/12

做股票期權與做指數期權不同。做股票期權要有明確的獵人心態：瞄準目標，等待機會。做股票期權不同做股票，如《期權 Long & Short》書中提及：股票是 Buy and Hold，期權是 Buy and Sell。

加息前夕的股票期權策略

上兩週本欄以非理性拋售為題，說明 6 月 25 日的市況，靜觀兩週，雖然恆指從該日的低位 19426 點反彈至 7 月 2 日的 21004 點，有 1578 點之多，但成交不斷收縮，未見非理性買進，看來成熟的市場看好人士是在慢慢地吸納。所以，若是運用期權進場，這就是筆者在《期權 Long & Short》書中的描述，此刻屬於『跌有限』，在『期權循環圖』中採用的主要策略應該是 Short Put。具體的操作方法，可以將目標股票的 Short Put 定在 6 月 25 日的低位，若 7 月不跌至 6 月 25 日的底，可以安心地收期權金，若跌穿，收貨也無妨，反正也是明顯的低位。

早前港股是被 H 股拖住，就像美股的道指有時會被納指拖住一樣。從倉位分析看，國指可能會進入牛皮整固，看上，以補 9535 的下跌裂口為第一阻力位，若達，可以略減部分好倉或鎖定部分利潤。看下，以 8640 為底作為第一支持位，若到，可以開始平淡倉。若未來的 30-50 天（期權教室強調做 30-50 天的期權）國指的表現是如此，恆指的反彈幅度也會受限。

恆指 7 月 2 日開市時，首敲 20986（上月的下跌裂口），本週三（7 月 10 日）再敲 20986 後，週四大市配合成交（730 億）大幅上升 532 點。上月開 Short Put 有接貨當然

《期權 Long & Short》之進階篇

十分開心，本月有開 Short Put 也有收成。沒有進場的，反而會見人有我無，受心魔的引誘，在大升市中買貨。此時此刻，恆指進入高波幅，20 天的 ATR/N 都有 383 點，日波幅達 600 點以上不足為奇。在這種市況，筆者的建議是開 Long：因為 Short 倉已有利潤，用部分利潤開 Long，沒有心理壓力。這就是本欄早前的文章題目：〈利潤在手 Long 風流〉。即使是 Long 兩頭（Long Call + Long Put）也無妨，因為下週的期權金會較明顯地收縮，只要牛皮數日，收引伸波幅，期權金會較為便宜，開 Long 的成本低。

上月的大跌，是由於美聯儲宣佈量寬的時間性，但給市場的衝擊是心理大於實際，兩週以來，未見打散股市，美股已回到高位。本週的大升，表面看是 A 股帶動，其真正動力是追落後。雖然是升至 21437 點，但整體 P/E 還是在 9.91 的水平，還不能説貴。特別是一些可以做期權的股票，可以用累計法和分行使價的 Short Put 方法開倉，令自己真正持貨的成本下降，當然，運用此策略閣下要較為緊貼市場，對資金管理（堂上所講股票期權的 3+15 原則）也要有一定的經驗。

筆者認為，市場對量寬的敏感度在降低，也就是説，再有量寬的消息，對市場的影響不會象以往般大，但是，加息的消息可能會取而代之。若聯儲局宣佈低息政策要提前結束，這應該是在告訴市場，經濟復蘇的動力在增強，經濟實體已經能夠產生實質利潤，支持增長。所以，若市場是將好消息作為壞消息炒，認為加息不利股市，再次大幅地非理性拋售，這就是閣下的機會。閣下的期權 Short Put 策略可以進取些，具體做法就是説：可以做等價（ATM）或是輕微價內（ITM）。舉例，若港交所（388）再次跌至 115 － 120 的水平，可以考慮 Short Put 115 或以上，力爭接貨。該股下月有息派，年底 LME 可能會有好消息，此刻是一個不錯的 Short 股。

筆者在期權基礎堂上強調：Are you a Hunter? 因為做期權要像獵人一樣，有自己明確的目標也要有等待的耐心，目標一旦出現，扣動扳機是自然反應。

2013/07/26

期權是每個月結算，其魅力之處就是可以生活化，所以筆者華爾街的朋友稱："Humanized Option Trade"。筆者認為，只有將這些行為生活化，你才可以找到操作期權的樂趣，這種行為也因而可以持續。

期權機會個股尋

本月恆指以 21004 起步，時至今日，最低見 20119 點（7 月 3 日），最高見 21964 點（7 月 23 日），高低波幅已有 1845 點（21964 − 20119），應該滿足了市場投機人士對月波幅的需求。筆者認為，操作期權除了月尾 Long 的策略可以做 Day Trade（《期權 Long & Short》書中有〈30-50 月尾 Long〉的故事），大多數是運用時間值和波幅，所以不能看得太短線。期權教室的建議是做即月、下月、季月，已經足夠。這樣不單令自己的倉位較為靈活，萬一錯方向也有時間值可以進行補救。另外，若對方向，在時間值和波幅的幫助下，可以平倉後用利潤再下一城，或等待下一個機會，讓資金運用得更有效。

由於大多數情況下不是做 Day Trade，所以對宏觀經濟要有觀點才能稱之為成熟的 Option Practitioner。按科斯托蘭尼（Kostolany）的講法：要聽得出市場的主旋律（科斯托蘭尼喜愛音樂）。筆者前兩週在本欄的文章是指市場在非理性拋售（此文值得各位再看一次），在期權教室網上的文章觀點是 A 股以 2000 點為軸，上下各 50 點已有時，但

這種現象估計還要持續，而這種現象對國指的影響也是顯著。基於這種觀點，筆者認為主旋律應該是：大市在低位徘徊，但短期未具大幅上揚的動力。因此，筆者按『期權循環圖』的四大策略中選擇 Short Put 為主要策略，略有普遍性，Long Call 是針對性，但保持 Long Call 的總成本不高於 Short Put 的總收入，而 Short Put 倉也預備了萬一要接貨的資金準備。因為做股票期權最重要的是資金管理，期權教室的講法是 3+15，備用金非常重要。

本月的 Short Put 倉基本全部有收穫，最令人開心的是思捷（330），Short 9 月 9.50 Put 收 0.60，本週 0.06 平倉，收足 9 成，取回資金等待下個機會。騰訊（700）是 Short 9 月 280 Put 收 12.55，本週期權金已在 2.80 的邊緣，隨時可以平倉，關鍵是要有更可取的獵物。但可惜的是在 Short Put 有利潤時沒有開 Long Call，錯失大好良機。

Long Call 倉就有不同，較為成功的是中移動（941），Long 7 月 80 Call，付 0.8，收 2.4-2.6，獲三倍利潤後再用利潤 Long 8 月 85 Call，付 0.68，目前已進入利潤區。筆者不知道電訊業能帶動多少 GDP，但此時推動 GDP 的主要手段受限，推電訊刺激消費應該是一個不錯的方法。加上 4G 概念，中移動應該可以改變過往「七上八落」的格局（股價見 70 會升，見 80 會跌），做到「八上九不落」。因此，在 Long Call 的同時，加 Short 9 月 77.50 Put，收 1.50，本週已進入半熟，可以食為先。

但 Long 倉也有敗筆，Long Call 招行（3968）只能做到平手離場，沒賺沒賠。而中人壽（2628）Long Call 則是要輸 30% 的期權金，也就是說，由於引伸波幅及時間值的原因，平倉時只能回收 70% 已支付的期權金。這說明同樣的市況，各股各有千秋，整體來說，Long 是比 Short 難賺錢！

在期權教室 D 堂講股票期權時，筆者說明要根據時期，將可做期權的股票分成 Long 股和 Short 股，而且明確將招行（3968）和中人壽（2628）分類為 Short 股，中移動（941）騰訊（700）為 Long 股，但是自己所講的自己都不能完全做到。所以筆者在期權教室操作堂的結束語是：" Do as what I said and don't do as what I do"。教室的前助理（Chris Wong）中譯為：「若師言，非師行。」（中文翻譯得非常好！）

即將進入 8 月，此刻是否可以開 Short Call，這又是見仁見智。因為筆者持有的多數股票都會在 8 月公佈業績，主旋律應該是收息。筆者頗為好息，估計派息相對去年應該不會太走樣，所以暫定讓股票在此刻略為放假，等業績。這就是按『期權循環圖』的操作方法及生活態度。

2013/09/06

操作股票期權充滿樂趣，讀者可以在此翻看一次 2010 年 3 月的文章，然後才進入本文。可見操作股票期權一定要懂得綜合運用，相信閱讀一定會令閣下有收益，而閱讀這些有啟發性的文章也是一種樂趣。

股票期權故事多

本欄在 2010 年 3 月有篇文章，題為〈一個美麗的期權故事又開始〉。該文提及本人在招行（3968）IPO 時就有抽新股，中途也有買進，但該股在 2007 年的歷史高位 27－28 元時，筆者發覺不妥，當時以 Short Call 價內（ITM）28 元，收 1.68 元成功出貨（等

《期權 Long & Short》之進階篇

於出貨價 29.68）。2010 年初，該股宣布要供股，筆者認為是機會，除了 Short Put 價內（ITM）收期權金，還直接以 18.68 買進股票（怕 Short Put 收不到貨沒有正股不能參與配股），之後又是在 20 元的水平 Short Call 出貨。2007 年和 2010 年，分別完成了兩個期權故事。

2013 年 8 月，兩年之後，久候的供股計劃又出現，供股比例是 10 股供 1.74，供股價 11.68，與 2011 年 7 月相若，這次市場反應一般。筆者對該股的觀點如早前的文章所描述：「招行近年十分勇猛，涉足人壽，併購銀行，經營的難度在增加，但招行勝在歷史包袱不重，可以輕裝上陣，迎戰風浪。雖然招行不能與大型內銀相比，但勝在營運方面要比大型內銀靈活，銀行的服務質素略優。」

因此，此次供股，筆者認為應該也是機會。在《期權 Long & Short》書中曾提及，操作期權是機會主義者的樂園，也正如期權教室堂上所講：Are you a Hunter? 也就是説，我們要有獵人的心態在投機市場覓食，要發現機會，捕捉機會，利用機會。

既然是機會，就要運用期權策略部署。首先，筆者不願意持股，除非逼不得已。因為此刻的主旋律與 2010 年不同，沒有要買進正股求供股的意願。因為此刻是外資在減持內銀，可見資金是現實的，若國內經濟增長放緩是健康現象，這種現象就會持續，而資金是不會持續停留在放緩的經濟體內。銀行是百業之母，是百業的輸血者，若百業放緩，銀行盈利何以一年勝一年。雖然有官員認為內銀估值偏低，但此刻環球印鈔，實體經濟哪一個不是被低估，只有虛擬經濟才會被高估。

目標明確，最佳的目標應該是供股價 11.68，若可以做到收期權金的接貨價是供股價，那應該是首選。我們見 8 月 22 日也有少量 Short Put 12 元收 0.30 的倉位，是

118

smart money。但要做到 12 月，不符合期權教室講 30-50 天，也就是即月或下月，最多再下月的時間值觀點。按金被鎖時間太長，也會失去其他機會。

　　首選做不到，只好求其次，次選就是近期低位 12.31（見日線圖），若能做到收期權金後的接貨價是近期低位，也是可以接受，萬一要接貨，心理也平衡。筆者的選擇是在 8 月 28 日除權時做 Short Put 12.70（舊）10 月，收 0.30-0.40，自設的目標可以達到。策略制定，倉位開妥，等待結局。

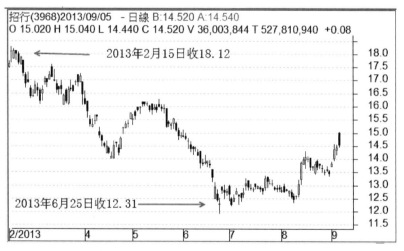

招行(3968)2013/09/05 - 日線 B:14.520 A:14.540
O 15.020 H 15.040 L 14.440 C 14.520 V 36,003,844 T 527,810,940 +0.08

2013年2月15日收18.12

2013年6月25日收12.31

（圖：招行（2628）日綫圖—2013/02 至 2013/09）

　　招行（3968）可能是有捧場客要供股，除權後股價明顯上揚，9 月 16 日是 Rights 最後買賣日，9 月 19 日要決定是否供股。上述的期權倉位當然錄得利潤，本週已進入半熟，隨時可以平倉，但策略上估計等待至 9 月 19-20 日是一個比較明智的選擇。屆時，另一個期權故事又可以完成。

2013/09/20

　　做股票期權優勢就是自己可以為股票定策略：準備長期持有，可以用 Short；準備短走一回，可以用 Long，各自精彩。而在這種買賣過程中，大戶的動態值得我們參考。筆者在教室講，窩輪是大戶看散戶的街貨量，而期權是散戶看大戶的倉位。

民營銀行即面世　內銀期權定策略

　　上兩週本欄是講招行（3968）的股票期權策略，有朋友見招行近期升勢凌厲，認為應該買進招行股票才是最好的策略。這種觀點當然必須認同，可是筆者認為，若閣下有充裕的資金可以運用，當然是用買正股的方法。但若閣下資金有限，又不想放棄短線的機會，股票期權則勝算較高。

　　我們可以將買正股和操作期權做比較：以 8 月 28 日 100 手招行計，若買入正股，股價 $13.50 x 500 股 x 100 手 = $675,000，若閣下能在 $15.00 沽出，獲利 $75,000。若做股票期權，動用資金約 30,000（當日 10 月 Put 位 12.50 需 $252/手，13.00 需 $368/手），可以做 100 手 10 月的 Short Put 12.70，若持至結算收期權金 $0.32 x 500 x 100 = $160 x 100 = $16,000。若用 0.02 平倉，也有 $15,000 利潤。資金獲利比率各位可以自己計算。若可以動用資金 $675,000，醒目的期權操作者還可以捕捉許多這樣的機會。近期在期權教室上課時筆者的講題為：看好股票不持股的期權策略。這就是股票期權的魅力，所以筆者認為股票期權是散戶的樂園。據聞 11 月初港交所又有股票期權講座，建議各位留意港交所的廣告，積極參與。

繼阿里巴巴要涉及銀行業，騰訊（700）也蠢蠢欲動，股價升個不停至 420 的水平。更令人眼前一亮的是國內開設民營銀行有了明確的經營門檻，註冊資本 5-10 億，地點會在北京、深圳、溫州開設 1-3 間，時間是明年 3 月可以開業，等等。有如此具體的政策，的確令人感覺正面。可見的將來內銀改革會加速，內銀在利率和理財產品的優勢可能會較為遜色，但是在內地分行網絡方面，資金成本，銀行借貸方面仍然是佔絕對優勢，民營難以挑戰。可是我們很難想像民營的發展速度，若影子銀行實體化，我們也不可小覷。

雖然內地民營銀行開始地區性運行，由於門檻不高，估計眾多民企會申請開設銀行，但其發展的速度還是由中央控制，目前看不到可以根據市場需要而可以自由發展。除了民營，還有地方政府資金進軍銀行業，因此明年可能是內地銀行遍地開花的時刻，銀行的數量會增，但若與美國銀行數以千計（按各類型業務計）的數量相比，還是微不足道。

內銀一向是本港散戶的愛股，長期持股的人士應該要有期權策略，讓我們先看看大戶人家如何做（表 1）。9 月 17 日，港交所的成交數據有如下資料：

	Call 成交 / 未平倉合約	行使價 / 月 - 年	Put 成交 / 未平倉合約
3988/ 中行	13,000/14,775	3.30/03-14	13,000/14,201
3988/ 中行	13,000/17,005	3.40/03-14	13,000/16,999
1398/ 工行	11,000/11,950	5.50/03-14	11,000/12,027
1398/ 工行	10,000/10,851	5.75/03-14	10,000/10,337

（表 1：中行 (3988) 和工行 (1398) 的股票期權記錄—2013/09/17）

《期權 Long & Short》之進階篇

（圖 1：中行 (3988)2014 年 3 月到期的期權大成交）

（圖 2：工行 (1398)2014 年 3 月到期的期權大成交）

（圖 3：中行 (3988) 和工行 (1398) 的期權佔據最大成交榜—20013/09/17）

　　各位可見，兩個龍頭內銀在 Call/Put 兩邊均有巨量新倉，因為全部是正數。從選擇行使價看，中行的選擇是低於現價，工行的選擇是等價，在這些價位開倉，筆者的觀點是股價將會進入牛皮偏淡。按選擇的時間看，牛皮可能要持續到明年的業績期。以成交的對稱看，可能是有多少股就開多少倉，沒有浪費。雖然這只是兩隻內銀股的成交表現，但這應該是具代表性的成交，散戶不妨跟進。

　　我們可見（表 2），是目前內銀可以做股票期權的股份，這些股份在 9 月和 10 月 Call/Put 最大的倉位的未平倉合約已列明，我們可以在這些巨大倉位的下一格開 Short，讓巨人站在我們前面。當然，這些倉位會隨時變動，若閣下跟進開倉，就要像每天必須刷牙一樣，每天看看倉位的變動，若見大減倉，閣下也應該減。

			9 月 Call	9 月 Put	10 月 Call	10 月 Put	註：
			行使價 / 未平倉	行使價 / 未平倉	行使價 / 未平倉	行使價 / 未平倉	
939	建設銀行	CCB	6.25/31065	5.50/36845	6.25/15491	5.50/53215	-
998	中信銀行	CTB	4.30/1279	4.10/1000	4.40/709	4.10/1000	-
1398	工商銀行	ICB	5.50/42658	5.00/32492	4.70/14569	5.25/13616	-
3328	交通銀行	BCM	5.50/1770	5.75/12974	6.25/15488	6.00/2835	-
3968	招商銀行	CMB	15.00/1346	14.50/3900	15.00/1696	14.50/2093	-
3988	中國銀行	BCL	3.70/63625	2.80/58802	3.70/21270	2.60/8595	-
1288	農業銀行	ABC	3.40/1902	3.30/1959	3.70/1767	3.20/856	*1 手期權 =10 手股票
1988	民生銀行	MSB	8.50/915	8.50/2512	9.50/8091	8.25/1507	*1 手期權 =5 手股票

（表 2：有期權的內銀股的 9 月和 10 月最大未平倉 Call 和 Put 位）

期權教室一般建議做 30-50 天的期權，如若做遠期至明年 3 月，則見仁見智了。不過若有持股，又想長期持有，見大戶有如此動作，我們跟進收些期權金增加持股效益，也是不錯的選擇。

2013/10/04

所謂無限循環，就是 Short Call 不怕出貨，Short Put 不怕接貨，資金的運用按自己的觀點執行。若出貨的資金可以及時運用到來接貨，有限資金的使用率可能非常高。

股票期權之無限循環

期權教室在堂上有這樣句子：「Long 是投機，本小利大利不大，因為贏面小；Short 是投資，本大利小利不小，因為贏面大。」

本港股市衍生工具發達，首選當然是窩輪和牛熊證（Warrant & CBBC），如期權教室 Pre 堂所講，這些都是期權的衍生，是 Long 的變種（ELN 和 Accumulator 則是 Short 的變種）。期權是交易所的產品，但窩輪和牛熊證是由發行商自行制定的產品，加入了一些特別條款，尤其是槓桿比例，可以令投資感覺到有刀仔鋸大樹的機會。雖然筆者提倡做期權，港交所近年也積極推廣期權，港交所的記錄也顯示這幾年期權成交不斷上升，特別是股票期權，是成長最快的產品。但從成交比例看，窩輪和牛熊證仍然遠超期權。其魅力一，就是簡單，大多數情況下都是只需看方向，而且在普通證券戶口就可以買賣，十分方便（希望期權將來也可以在證券戶口買賣）；另一魅力就是風險有限，最多就是

輸當時所付出的金額，進場就知會輸多少。港交所早期對窩輪和牛熊證的提示十分精準：該產品的發行商可能是報價和流通量的唯一提供者。不過，期權近期可能也引入莊家制度，報價和流通量應該會得到改善。

早期港交所推廣期權時有這樣的口號：「Long 風險有限利潤無限；Short 風險無限利潤有限」。筆者曾經有文章評論過這句口號，因為這是令眾多投資者對 Short 生畏，不願意研究 Short 的策略。筆者採用《期權 Long & Short》為書名，也就是要說明，期權策略應該包括 Long & Short，若只是做 Long 或只是做 Short，單功能操作，就會錯失期權操作旳精髓。

為了達致較佳的獲利機會，筆者認為在股票期權（筆者認為股票期權和指數期權要明確分開）可以用 Short 倉為主導，Short Call 加 Short Put，並以 Long 倉附之。特別是對於散戶，反正都會持有部分股票，若股票期權策略的資金分佈可以做到持有部分正股又不介意增持，也就是說有貨又有錢，按『期權循環圖』的思維運作，閣下運用股票期權是可以進入無限循環的境界，令每月產生正現金流成為現實。

舉一個實例，港交所（388）是筆者愛股，從 Short Put 100 － 120，收了一些貨，該股派息可以接受，決定部分股票長期持有，長期 Short Call，也不介意部分用 Short Call 沽出，這就是對該股的具體策略。今年 8 月公佈業績，港交所（388）派息基本保持（略降 HKD0.03），除淨日是 8 月 27 日，過戶是 8 月 30 日，派發是 9 月 30 日。因此，Short 9 月 Call 是頗佳的選擇。筆者曾經講過用股息為目標開倉，知道股息後開 Short Call 9 月 130 收 1.80（等於收多一份息），當然，若出貨也不介意走一回。得知阿里不能在港上市，該股從 9 月最高位 132 回落，跌至 125，就再追 Short ATM 125 Call 收 2.98。

《期權 Long & Short》之進階篇

本月結算收 125.60，不知是否有人要貨，但當得知有人要貨，就即開 Short Put 125 收
2.50，接貨無妨，因為已是低於原有的持貨價。若上升，繼續 Short Put 127.50 但要有 2.50
的期權金。筆者較少用 Long，因為 Long 贏面小，十分講究機會，頗為成功的是 2011 年
10 月，該股在 100 元大反彈，用 Long Call 捕捉了令人滿意的利潤，該篇文章也發表在
另一份報章的期權專欄內。筆者在期權教室強調要有具體的策略對待具體的股票，分門
別類，不能一概而論。此案例估計可以幫到大家理解如何運用 Short，增加每個月的正現
金流。

　　據聞國內 A 股的個股期權將於明年 3 月開鑼，屆時有關期權的討論將會更多，若在
H 股有期權的股票在 A 股也有期權做，會有助分析，估計會從而帶動本港散戶的期權成
交。

　　下月初，港交所又有股票期權講座，筆者會出席，屆時會詳細具體地解釋此無限循
環的策略。

2013/10/18

　　期權 Option 源於美國，有百年歷史，老外的思維方法有時用英文更有味
道。筆者堅持期權只有四大策略，而且要用英文講：Long Call、Short Call、
Long Put、Short Put。因為在此的 Long & Short 並非中國人所想像的長與短。
　　這篇文章十分值得準備做股票期權的人士細讀，因為四大策略的基本精
神已有具體描述，明白後可以開始小注試倉。讀完此篇文章，閣下也就會理

解為何《股票期權》篇最初的定名是:「快樂的現金流」。

順帶一提,此篇文章的內容,也是筆者 2013 年底在香港交易所舉辦的期權講座上的演講內容。

股票期權魅力——每月正現金流成真

筆者在《期權 Long & Short》書中強調期權的策略只有四種,組合策略的產生應該是順應趨勢,用動態的方法完成,若閣下是期權操作者 /Option Practitioner,你自己完全可以創造出各種各樣的策略,也就是所謂的招式。但筆者認為好的策略不會簡單(如堂上所講:Good strategy is no simple),是要不斷地根據趨勢的變化而變,筆者不建議以固定的某種招式開倉,然後聽天由命等結算。即使招式有效,也會失去操作期權的無窮樂趣。

期權是衍生產品,筆者認為用 Long & Short 比較傳神,有味道,有別與一般情況下對 Buy & Sell 的理解。四大策略若用英文表述,可以非常精簡:

Long Call : Hold stock with less money

Short Call : Have extra yield with stock owned

Long Put : Make money in fall

Short Put : Profit from stock not yet owned

Long Call:基本上是 Call 輪的結構,但勝在有充分的行使價(Strike),格式標準化,選擇方便。大戶的重兵駐守位有時也十分清晰(也就是倉位),是閣下看大戶的街貨量訂自己的策略,而不是如窩輪般,發行商可以看散戶的街貨量而定窩輪價。閣下在選擇行使價時會感到方便,十分容易掌握。另外,閣下進場時的最大風險就是進場時付出的

《期權 Long & Short》之進階篇

期權金，沒有太大壓力。最重要的是閣下不必為開價而煩惱，因為期權是莊家制，眾莊家都想做生意，閣下被待薄的機會相對比較低。此刻引伸波幅偏低（14-15），若閣下看好某正股，開 Long Call 做等價，見好就收，是個不錯的選擇。

Short Call：每個散戶（若持有股票）都應該學，因為是增加股票收益的必然動作。筆者在期權教室稱之為：「沒有做 Short Call 是對不起持有的股票」。何況方法簡單，十分容易操作，人人可以做到。在筆者的經驗中只有一位女士，是在每月都有正現金流的狀態下要求撤出，其理由是 Short Call 有可能被行使，等於沽出股票，不符合買了股票就應該長期持有的原則。的確如此，這不單是個人的選擇，更是個人對傳統理論的觀點。雖然十分無奈，但本人還是親自為她安排撤銷戶口。

Long Put：是操作期權最令人興奮的，因為閣下進場時的最大風險就是進場時付出的期權金，沒有太大壓力，但若看得準，一般下跌的速度會比上升快，造就了閣下可以在短暫的時間內獲利，而且可以是以數倍計而不是普通的以百分比計。這方面的傑出人物有梭羅斯（George Soros），這位神級人物在今年第二季度大量增持標普 500 ETF 的認沽期權，也就是 Long Put SPX/June，各位可以看看標普圖，可見其之準繩。另位殿堂級人物是保爾深（John Paulson），在 2007-08 的金融海嘯期間，他是以年度計看跌（這是做 Long 極難的行為），一直持有 Long Put，一舉成為沽神！作為一般散戶，在 Long Put 中獲利不但是獲得利潤（也就是說有金錢的滿足感），更深層次，可能會有十分良好的精神滿足，也就是成功感。這關係到心理、市場、個人行為，期權教室的堂上講到對沖時有詳細解析。

Short Put：通常這是操作股票期權的開始，也是期權的基本功，是產生正現金流的

極佳方法。所以大多數散戶首次進場都是 Short Put，筆者稱 Short Put 是期權第一步。做 Short Put 的最大優勢是現金在手，樂於接貨（筆者不認同大手 Short 價外 Put 又堅決不接貨的策略可以經常使用），接不到，下月再 Short。當然，閣下是在什麼價位，什麼引伸波幅，什麼市場情緒下開 Short 是十分講究的，這就是期權教室所講：Time the Market（Time 此處當動詞用）。要提醒的：Short Put 是有機會持有股票的，閣下必須對該股票的基本面要有認知，願意持有，因為一旦持有該股，閣下就要運用其它策略獲取正現金流。因此，持有做期權的股票，少則得，多則惑！

上兩週本欄文章提及港交所（388）的策略可能不夠具體，數據不夠精準，有讀者不明。筆者認為股票期權的魅力在於可以力爭每月的正現金流，因此，今天繼續講這個大家不單熟悉而且數據新鮮的案例，相信一定幫到各位。見表（希望各位可以與該股日線圖一起看），若至十月結算，股價波幅在表的範圍內，筆者滿意該股中期業績後這三個月的正現金流收益（因為正現金流 14.44 高於這三個月的高低波幅 14.00），也希望 Short Put 10 月 130 能接到貨（只準備接一個行使價的貨）。若股價跌，Short Put 125 可以用不高於 2.5 平倉離場（125/127.5 都已進入利潤區），而 Short Put 127.50 的虧損部分則可以搬倉（Rollover）至 12 月更低行使價開 Short Put。其實，125 也可以用 127.50 的方法，各自喜歡，若能在 118 以下再買多少，完全可以接受。

從表中可見，將 10 月 Short Put 125 Rollover to 12 月，這兩個月的期權金和股息收入是 14.44，相對這兩個月的正股高低波幅只有 14，收入應該可以接受，而接貨 130 等於成本 115.56，可以開始 Short Call。

《期權 Long & Short》之進階篇

港交所 (388)8 月 15 日 -10 月 17 日，波幅 14 元					
股價：最低 8 月 30 日 118，最高 9 月 19 日 132					
中期業績 /9 月派息	1.82			9 月結算	10 月結算	
阿里在港上市有難度	1.20	Short Call 9 月 130	1.20		
阿里確定不在港上市	2.92	Short Call 9 月 125	2.92		出貨
Short Call 被 行 使 / 現金在手	2.50	Short Put 10 月 125		2.50	
股價反彈	2.90	Short Put 10 月 127.50		1.02	1.88 平倉
要補回正股做價內	3.10	Short Put 10 月 130		3.10	接貨
	14.44		4.12	6.62	10.74
		11 月成本價			119.26

（表：港交所 (388) 期權案例和成本價的計算）

下月六日，週三，在香港交易所的演講廳有一場由香港交易所舉辦的期權講座，本人會是講者之一，若閣下對如何產生每個月的正現金流有興趣，建議參與這個免費講座。如何登記，請留意今天在《信報》A 版的港交所廣告。

2013/11/01

　　股票期權另一個特別之處是股票的對沖策略，這是利用相反走勢定策略，這種機會不一定普遍，但總是有機會，當時的濠江賭股 vs 內險股是出現了機會，小注開倉，頗為開心。

運用股票期權於相反走勢之探討

　　上兩週本人概述了自己的期權觀點就是：「四大策略，根據波幅，靈活運用」，不建議經常用所謂標準的招式應市。這樣的操作方法，在獲利之餘還可以享受操作期權的樂趣。筆者想再次強調，股票期權是一盤生意，要有經營自己生意的思想準備，也就是要有生意人的頭腦，除了要將保持利潤，還要不斷提高利潤，經營利潤高的產品。

　　要在股票期權市場找到利潤較高的產品，這是一種較高的境界，筆者的觀點認為，可以從相反走勢著手。雖然這是股票期權較高階的買賣方式，較複雜，但勝在機會常在，可行性高，執行性強。

　　在金融市場，相反走勢 Negative Correlation（標準語是負相關性）是會經常發生的現象，也就是說當一個資產價格下降時，另一個資產價格可能上升，俗語說是此消彼長。在期權教室上堂講負相關策略時，筆者較常用國泰（293）和中石油（857），因為經營國泰的成本主要是燃油，燃油價格的升跌對國泰經營利潤有明顯的相關性，而中石油主要的利潤來自買油，國際油價漲，中石油就會水漲船高，若跌，反之。筆者要強調的是：這種負相關性在兩股之間未必是必然現象，只是負相關性出現的機會的確是經常發生。見百份比圖，當整體市況在下跌或上升時，兩股的走勢趨向一致（淺色圈），但當個股

出現個別發展時，兩股的反向走勢就會明顯（深色圈）。因此，這就是一種機會，只是看閣下是否懂得捕捉（也就是期權教室所講的 Are you a Hunter?），而運用期權的 Short Call + Long Put 與 Short Put + Long Call 可能是對這種相反走勢非常適合的策略。

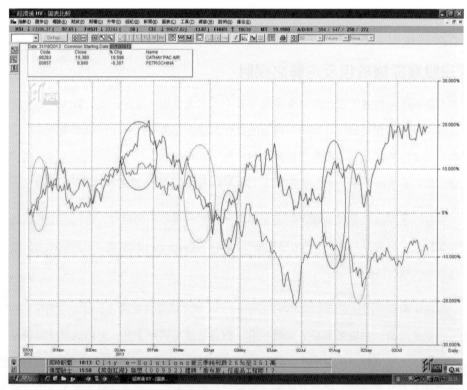

（圖：國泰 (293) 和中石油 (857) 多出現相反走勢—2012/10 至 2013/10）

　　雖然看來準備運用的期權策略簡單，但由於是時間性略長的部署，在準備動手前，Short Call（沒有正股）位的選擇十分重要，即要安全，又要能幫補 Long Put 的成本，要令持倉沒有壓力，要迴避上行風險，是非常靠功夫的技巧。Short Put 位的選擇會較 Short

Call 為簡單，因為最大風險就是接貨，只要能幫補 Long Call，應該問題不大。不過，閣下也可以選擇只是 Short Put 不用 Long Call，因為上升的速度通常比下跌慢，這是對時間值的考量，若閣下已是成熟的期權操作者（Sophisticated Option Practitioner），可能會考慮採用不同行使價開 Short，動態做。

筆者以國內政策的主旋律思考，此刻三中全會開幕在即，氣氛都較為嚴肅，電視上看到廣東名將王岐山親領反貪反腐大軍，有破釜沉舟之氣勢，因為習主席説這是關係到亡黨亡國。從圖片上看，若與新中國 50 年代的整風運動相比，頗為相似。德國哲學大師黑格爾在滿清時代就指出，中華帝國的傳統管治是靠絕對意志（Substantial Will），只要想做，一定做到。

基於此，筆者首先認為澳門賭股會走下坡。若閣下認為這幾年澳門賭股的高速增長是靠大批排隊過關的遊客，那是否有些「那伊芙」（Naïve / 當年國家主席江澤民訪港時用於描述部分港人的字眼），聰明人要明白，沒有橫財，何來賭本。能在澳門豪賭的強國人，極少是賭自己的辛苦錢。所以，配合國內即將要展開的「運動」，筆者的觀點是：澳門賭股的高增長勢頭可能會告一段落，出現調整也是十分正常，可以中短線看淡。

此刻內地的政策導向是要促內需，支持實體經濟，但在改革開放 30 年後的今天，以此刻的政治生態，經濟是到了瓶頸狀態，政改是非改不可，而且是刻不容遲。因此，內地的人氣會是做實事多於做「大」事，這個基本面會有利投資。但是，作為一般散戶，如何選擇眾多的實體經濟股，即使有觀點，做太多個股期權的難度也大。不過，筆者認為內險股可能是內地實體經濟的最大持股者（這也是國策），若內險股的投資回報增，一定支持內險股價上升。

《期權 Long & Short》之進階篇

　　由於有了這種想像力（科斯托蘭尼所提倡的方法），筆者小注試敲澳門賭股 vs 內地保險股。該策略此刻初見成效，稍後會再與大家分享。

　　相反走勢的股票期權策略會是技巧性較高，分析對，選擇也要對，時間也要拿捏得準，期權的味道濃，樂趣多。筆者認為若能做到用期權策略在相反走勢（Negative Correlation）中雙向獲利，其滿足感一定大於期權金，這盤自己的生意也可以做到有聲有色。

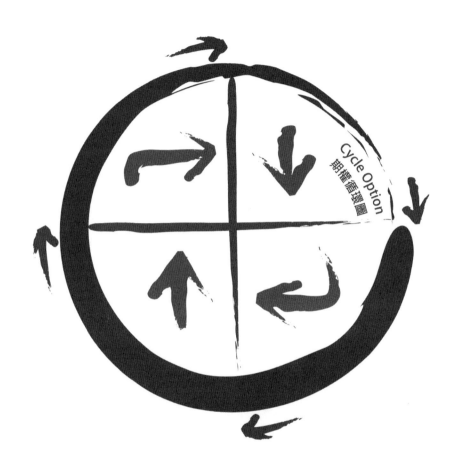

股票期權
2014

2014/01/24

　　本港地產股佔恆指的比重頗大，但從期權成交的活躍程度看，遠遜科網股，引伸波幅也是長期偏低。目前有期權的地產股約 10 個，7 個本港，3 個內房，本港的只有 16/ 新鴻基和 17/ 新世界較為活躍，內房則是 688/ 中國海外及本人愛股 2777/ 富力地產。許多學員問及為何愛股是 2777/ 富力地產，筆者的回答是欣賞其負債比例夠高，曾經是 100% 負債公司，當然，所謂愛是指操作期權。科斯托蘭尼自認是股市投機者，但他認為真正的大投機者是房地產商。所以筆者認為敢如此承擔高負債的公司，一定有過人之處。

　　地產股是港人非常熟悉的股票，但不得不承認，這是個傳統行業，頂多是跟隨大市起落，難有突破。香港經濟與房地產的相關性甚高，所以港人普遍對房地產都有認知，以下兩篇是較為微觀的分析，也有些負面的看法，所以，對地產股而言，筆者仍然認為以期權金為主，持股票為輔的策略較為可取，而且主力做內房。

地產期權策略

　　上週末，在地鐵接到《東方財經》的電話，諮詢本人對香港樓價和房地產股的觀點，當時筆者認為，這已經是老生常談，令人麻木的話題，也由於突然，沒有準備，在公共場所也不方便表達，所以只是講了一些行話（Diplomatic Jargon）。

　　但事後回想，為何此時有此專題諮詢，這一定是有市場因素。筆者在《信報》寫期權多年，應該借〈期權教室〉這個專欄的篇幅，寫些明確的觀點，給大家帶來一些思考。

　　講及房地產，值得一提的是四叔曾提出要政府出地，他出錢起樓，300-400 呎的小單位他可以 100 萬出售，當時有政府高官反譏説：是否可以四叔出地政府出錢，也是售價 100 萬 /300-400 呎。四叔的回應是列出土地表任選，似乎此計劃目前是不了了之。筆者也是認同，此方案涉及的問題太多，太複雜，史無前例，一旦開例，今後如何持續執行。可是筆者的觀點是為何政府高官有如此不慎之言，這些都是飽讀之士，俸祿豐厚，應該為香港的發展多下功夫。目前一間三百多呎的二手市區樓，一般都要 300-400 萬以上，我們不要説四叔的理想樓價是 100 萬，若能低至 200 萬，香港的社會氣氛都會好一些。

　　另外，香港的現實是每個家庭的居住人口在減，但家庭的總數量在增，小單位的需求遠勝大單位。恆基在 80 年代就是以小單位取勝，所以建小單位的經驗十分豐富，四叔可以一言確定。可是這些年來，本港地產商都是瞄準內地豪客，大建豪宅，當然也是賺得不亦樂乎，股價也充分表現出來。但未來的市道可能會以小單位為主導，地產商願意追逐這個市場嗎？

　　筆者的觀點甚為保留，因為在小單位市場，政府已經建立的明確的公屋計劃，真真正正造福港人，公屋將吸收大量準備買私樓的樓宇消費者，建小單位的地產商必須建的十分有特色，才能買的賣得好價錢。所以，未來本港地產股應該是有波幅，而難有明顯的升幅。從期權策略看，若按期權教室堂上所講，應該是 Short Call 不怕出貨，Short Put 不怕入貨。股票期權策略涉及派息問題，一般情況下，在收息前期要進取，收息後要保守。而 Long 的策略則要等機會，但相信本港地產股開 Long 的機會不多。

　　香港近期流行內地對房產的俗語：住房是剛性需求。但筆者並不認同，因為國內社會是處於城市化的高速發展期，大量農村人口湧向城市，住房當然是首要解決的問題，

《期權 Long & Short》之進階篇

故稱之為剛性需求。但在本港，若我們從過去十年（2004 － 2014）的樓價變化，我們可以說香港在這十年有大量移民，導致了剛性需求嗎？十年前的樓價正是四叔的理想價，也是筆者用最後的子彈進場之時。

國內的剛性需求十分明確，而且已經聚焦在所謂保障房、微利房、經濟適用房。國內的問題較難明，反正就是單位小，價格便宜的樓宇。這些都是未來主要的樓宇市場產品，不論大小城市，這是政策，閣下不得不看好的市場。參與這個市場十分積極的，又有期權買賣的是中國海外 /688（見圖），不但做國內各種類型的房屋，也做本港公屋，是筆者認為做期權機會較多的地產股。月初開 Short Put 20 大元，可惜沒有 Long Call，下次一定留意。在內房股開操作期權的機會要比在本港地產股多，不單止有波幅，還有市場參與者的積極態度，所以期權策略要根據標的物而變。

行文至此，本人觀點認為，本港社會不應該再針對地產商提出「地產霸權」，因為大家所認為的所謂「地產霸權」，其實質是由市場推動形成的，對地產商來說，是一種被動的「權」，並不是地產商本身就擁有的權，難道說十年前還未「霸」今天才「霸」？作為發洩怨氣，可以理解，但不應該成為長期的本港社會輿論，我們應該十分理性地認識這個社會問題，因為說到底，房屋問題大多數都是當地政府行政政策的結果，只有政府才是土地的持有人，霸權只能產生於政府，不可能出現在民間，這種現象不單在香港，其他地區亦然。

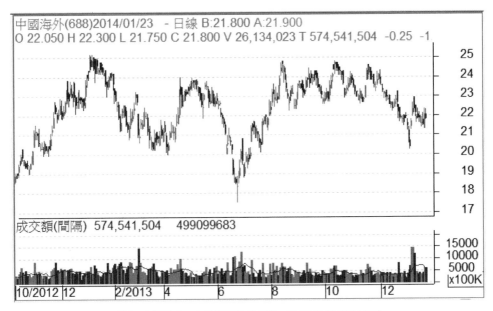

中國海外(688)2014/01/23　- 日線 B:21.800 A:21.900
O 22.050 H 22.300 L 21.750 C 21.800 V 26,134,023 T 574,541,504　-0.25　-1

成交額(間隔) 574,541,504　　499099683

（圖：中海外 (688) 日綫圖及成交額—2012/10 至 2014/01）

2014/03/08

　　筆者非常建議散戶朋友做股票期權，特別是有一些年紀或對某些股票有認知的人。期權教室的學員中不乏開戶數月內利潤倍計的學員，他們多數是做股票期權，而且是做他們非常有自信的股票。不知何故，成績顯著的，大多數是女性。

期權月尾 Long　股票勝指數

　　去年今天，本欄題為：三八婦女節談女性投資。文章內提及一位女士以不浪費手續費的原則開 Short 倉收取期權金，具體説就是：期權每張合約單交易的手續費為 100 大元

《期權 Long & Short》之進階篇

或所收取期權金的 0.25%，於是該位女士就每次以收 40000 元的 Short Call 期權金為標準開倉（若無正股做對沖這絕對是高風險的倉位），以此充分利用手續費，不浪費。筆者描述該位女女士是如此精打細算，甚為少見，但最終結局是見她要膽戰心驚地輸錢，此篇文章講精打細算其實是貶義（懂風險的人一看就明），但編輯人員可能誤解，一年後需在此説明。

〈月尾 Long 期權利潤可以驚人〉是筆者在《期權 Long & Short》書中後半部的一篇文章，分析在月尾結算前開 Long，這是頗為投機的動作，一般是做指數期權。但上週二月結算，無法估值的騰訊（700）大放異彩，股票期權 Call 位的四個行使價都是 2 千多張，當日進場者無不滿載而歸，因為每個行使價都有 10 倍左右的利潤，也就是説，只要進場 Long，幾乎都有機會贏。

下圖是二月 27 日的騰訊（700）期權 Call 的成交記錄（從港交所網頁下載），各位除了看成交（Volume），還可以看看期權金的最低（Low）和最高（High），可見利潤驚人。不知月尾 Long 個股期權是否會成為一種月尾現象，但筆者認為 Long 個股期權的難度要比 Long 指數大，因為指數只有恒指和國指，相關度極高，二挑一便可；但是個股期權目前有 74 個，你不知哪個會有波幅，當然，若你有市場觸覺，能即時發現，閣下的操作成本會比指數還要低，而成效比指數高。

CONTRACT			OPENING PRICE#	DAILY HIGH#	DAILY LOW#	VOLUME
CLASS	TCH - TENCENT	HOLDINGS LTD				
FEB14	580.00	C	9.50	38.00	9.50	382
FEB14	590.00	C	3.00	27.50	3.00	2,259
FEB14	600.00	C	0.64	16.78	0.64	2,361
FEB14	610.00	C	0.42	7.31	0.42	2,681
FEB14	620.00	C	0.26	1.64	0.12	2,409
FEB14	630.00	C	0.11	0.25	0.05	140

（圖 1：騰訊 (700) 期權 Call 的成交記錄—2014/02/27）

　　不過，對股票期權而言，筆者還是建議主力放在 Short 倉。前幾個月筆者有做紫金（2899），也建議期權教室的學員參與，觀點是早前國際金價偏低，投資組合此刻應該有多少金，持金礦股有股息 7% 左右，若加上操作期權，還可以有額外期權金的收入，可以做到進可攻退可守。筆者的觀點是做紫金期權的勝算要比做 ETF 高，雖然都是金，但做分析大不相同。近期紫金頗有波幅，除了國際金價開始上揚帶動，還有就是紫金產能增加，上海自貿區的大型金庫啟動，這些都有利產金的行業。做紫金其實也十分簡單，前幾個月若 Short Put 兩次沒接到貨，第三次要接貨時的成本已低，有了貨後每月做 Short Call，萬一要出貨也無所謂，反正是有利潤的貨。做股票期權最怕就是難解難分，接貨好似被蛇咬，出貨好似被割肉（內地語言），這些都是要糾正的心態。紫金目前還是在低位徘徊，估計還會持續，做 Short 收期權金是一個不錯的選擇。

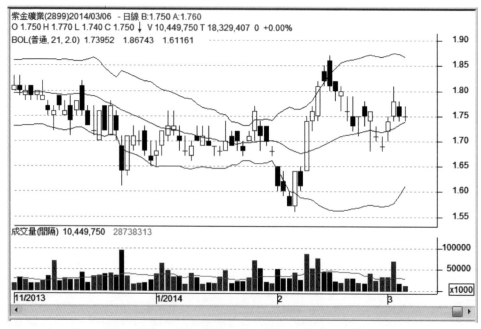

（圖 2：紫金（2899）日綫圖及成交量—2013/11 至 2014/03）

　　筆者做騰訊屢戰屢敗，用 Short Put 的期權金 Long Put，沒有一次成功，雖然沒有損失，但頗費心機。近期轉做聯想（992），因為如期權教室堂上所講，早前分析該股業績一定亮麗，所以用 Short Put 進場。可是突然消息傳來，該公司決定了數以百億計的收購計劃，市場人士嘩然，對聯想進取的收購行動投反對票，結果導致股價大跌，本人 Short Put 當然要接貨。但筆者的觀點是認同此次收購，因為今時今日好的收購機會實在難得，這些機會只會買貴不會買錯，而貴對聯想來說是可以用市場和時間逐漸消化，因此不應該如此看淡。大跌後筆者採用的是全面看好策略，雖然此刻股價還是裹足不前，還未開步，但各位可見在 8.5 水平的成交比早前 9.5 的水平明顯增加，按科斯托蘭尼的講法就是堅定

的人在進場。另外，該股 IV 有 44，僅次於 50 以上的濠江賭股，比飛天車比亞迪（1211）

還要高，開 Short 也可以令人滿意。要知道，期權操手的目的是賺期權金，可以持續地賺，

這次聯想開倉，不但是有信心而且是做得開心。

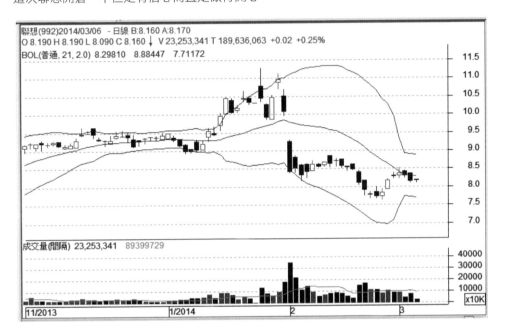

（圖 3：聯想（992）日綫圖及成交量—2013/11 至 2014/03）

股票期權相對指數期權是低風險也是低回報，但精彩之處是穩定地解決了『三茶兩

飯』。股票期權在散戶層面看，筆者認為分散投資是錯誤的觀點，應該是集中三五個足矣。

香港交易所這幾年積極推廣期權，可以做期權的股票會越來越多，所以要集中！

另外，做股票期權就是講本錢，所以應該是準備好資金耐心等機會而不是一有資金

就立即找機會，若不明白這句話，可能要去期權教室上堂學習。最後，Are you a Hunter? 這也是期權教室的課程內容。打獵一定是你已知道要獵何物，你只是要等獵物出現，若要四處去找獵物，說明你不知要獵何物。對操作股票期權的獵人，可能等待跌市比等待升市更高興，因為 IV smiling 的原理，開 Short Put 一定勝 Short Call。

2014/05/02

選擇股票做期權是一種藝術，絕對因人而異，若是 Long，完全可以做「即日鮮」，視乎閣下對該股的認知。本篇提及幾乎無人會關注的中電（2），但若上過教室堂，筆者講股票期權時有個插曲，是介紹了一位專做電盈（8）的「期」才（目前電盈（8）已無期權）。所以選股票要自己選，做自己選的股票，有把握得多，也會開心好多。

淺談股票期權的選擇

分析股票，大多是先講基本面，講趨勢，然後找板塊，選龍頭。如閣下習慣這種操作模式，在股票期權可以大派用場。不過，若閣下可以再加些引伸波幅（IV / Implied Volatility）的考量，效果更佳。

在期權教室講股票期權有 Long 股和 Short 股的講法，基本以引伸波幅為分，偏低以 Short 為主打，偏高以 Long。但若某股票引伸波幅保持有 40 以上，閣下又熟悉該股，閣下應該是開 Long 還是開 Short？答案很可能是開 Long，但筆者認為若閣下有實力接貨，又 Long 又 Short 又如何？因為從獲利的角度看，Long 有槓桿可獲大利，Short 只有當時開

倉時的期權金。從做錯的角度看，Long 有可能損失全部的期權金，Short 的最後風險就是接貨，接貨後可以再開 Short Call 做保護。

我們可以翻看「濠賭股」銀河娛樂（27）在四月一日的期權成交，我們只看最大成交位。Call 位 75.00，成交 2,790 張，期權金最低 0.88，最高 2.32，即日有近 3 近三倍利潤。Put 位 67.50，成交 2,548 張，期權金最高 2.08，最低 1.10，即日有近一倍利潤。當日的引伸波幅高達 41，近期已是 34。至於要保持多少倉量，則應該根據自己現金實力感覺舒服為適合。

股票期權成交顯著，教室經常有學員問及組合倉，筆者當然認同開組合倉，但不是港交所網頁的自選組合（TMC / Tailor Made Combination），那是固定鎖死的組合，開倉等結算。筆者建議還是分開開倉的方式為佳，因為靈活買賣組合策略，其組合內的長短倉都是單獨開倉，也就是說可以根據市況單獨平倉、拆倉、反手、追倉，將期權的功能充分發揮，這樣的自製組合期權味道更濃。

早前對一些追求平穩利潤的客戶推薦過紫金礦業（2899），當時的理由是，：一）國際金價偏低；二）紫金股價處於低位（股價 1.70）；三）AH 股價差達 40%；四）年度股息達 7-8%。以上四個因素足以讓客戶有信心 Short Put 持貨，若 Short Put 兩次才接到貨，一定是低位，持貨 Short Call 何懼有之，此刻正是動手之時。

引伸波幅低是否無人問津？隨帶一提的是筆者在偶然的機會曾經與一位外籍朋友交流過，他的資金量不算太少（以數百萬計），對期權也十分有興趣，也做的得開心，他買賣不多但很穩定，他只是做一個股票，可能是各位讀者根本不會考慮的，就是中電（2）。該股引伸波幅之低可能是全場之最，長期只是 13，但他長期做，認為該股勝在

《期權 Long & Short》之進階篇

夠穩定，每月操作基本無需看市，每月都有他認為滿意的正現金流（不知此兄是否該公司的工程人員）。所以，做股票期權一定是因人而異。筆者任職交銀國際，經常與同事交流，筆者始終認為，作為優秀的期權 AE（Account Executive），要努力做到根據客人的特性提供不同的策略，這也是期權教室基礎堂所講："Good strategy is no simple"。

　　近期「網絡經濟」與「舊經濟」在熱烈討論，本人提倡做保守的投機者（Trader），因為經濟學家與投機者的關注點大不相同。筆者認為「網絡經濟」龍頭騰訊當然要做，但要等次低位的出現，可是「舊經濟」大哥中人壽（2628）似乎出現機會。中人壽在期權教室的代號是 18-22（讀者應該明白），跌穿 20 正是進入了『期權循環圖』『跌有限』觀察名單，見圖，該股此刻是處於今年的三底位，不過輕微一底低於一底，是否可以開始分批進場？

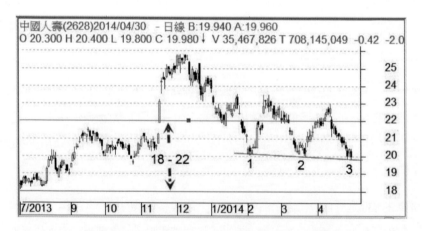

（圖：中人壽（2628）日綫圖現三底—2013/07 至 2014/04）

2014/05/16

Short Put + Long Call 和 Short Call + Long Put 這是人人皆知的組合策略，但如何運用月份，分配張數，選擇行使價，這都是藝術，可以非常講究。早前有文章講孔明草船借箭，那只是內涵之一，還有許多天時地利可以利用。

整理文章至此，筆者又想起港交所（388），在「滬港通」Short Call 150 出貨，賺得太少，留下陰影。但此時回顧持股過程，從港交所買 LME 開始接貨（大約 100），整個過程除了股價，期權金收入其實也是頗豐。

股票期權的方向性組合策略

在期權教室上完課後開始操作期權，對大多數參與者來說，若決定從股票期權開始，Short Put 應該是操作股票期權的第一步。因為手持現金，用按金去賺取期權金，最大風險是接貨，也可以說目標在期權金，若要接貨也可以接受，這也就是等於在自己認可的價位買股票，至於買進後是否持有或如何操作，那是另一個話題。

股票 Short Put 是技巧頗多的單向策略，應該是靈活運用各種因素和條件制定出最佳策略。本欄去年初曾經有文章講解 Short Put 中石化（386）的過程，分享如何運用集資、紅股、股息等因素獲取便宜股票。一旦有便宜貨在手，繼續操作期權就可以非常瀟灑。

若要將 Short Put 單向看『跌有限』的策略加強，可以制定組合策略：Short Put + Long Call，這種策略是短線看好，若看錯，短線股價不升，會消耗 Long Call 的期權金（時間值），但對該組合策略整體而言只是損失有限。

如（圖 1），持現金開 Short Put + Long Call，但分月份做，為何分，如何分，頗講

《期權 Long & Short》之進階篇

究（這都是個人的觀點）。圖中是去年八月 Short Put 九月，因為中移動（941）在九月份大多都是在高位，該月分 Short Put 被行使要接貨的機會相對較低，即使是接貨，數量不多，也很輕鬆。用 Short Put 九月得來的期權金 Long Call 八月（即月），因為八月的期權金相對九月便宜。仔細的讀者還會發覺，收到的期權金其實基本就是付出的期權金，而且 Long 是 Short 的一倍。這就是説，若不介意 1.50 的期權金，接受在 77.50 收貨，持此倉頗為舒服。若方向對，Long Call 有一倍左右的利潤，應該考慮平倉一半，取回成本，餘下的是利潤，利潤變成時間值，可以繼續持倉讓利潤向前跑。若持倉至結算，此倉的 Long & Short 賺的都是沒有股票的利潤。

| CHT77.50U3 | 中國移動 2013-09 77.50 Put | -5@1.5000 | | | | -5@1.5000 | 0 | 0.71 | 1,975.00 HKD |
| CHT85.00H3 | 中國移動 2013-08 85.00 Call | 10@0.6800 | | | | 10@0.6800 | 0 | 1.12 | 2,200.00 HKD |

（圖 1：中移動 (941) 持倉實例）

　　當有貨在手時可以做什麼？當然是 Short Call 看『升有限』，以港交所（388）為例見（圖 2），這是今年四月，手持正股的看淡加強版：Short Call + Long Put。因為 150 是官價（政府買進港交所股份的大約價錢），若在該價以上出貨應該是不錯的選擇，所以 Short Call，但選擇六月，原因其一是期權金較多，其二是五六月跌市的機會高，被 Call 貨的機會較小。Long 四月 Put 的原因其一是四月期權金便宜，其二是四月出現急升有回吐的可能。此倉的最大風險是出貨，計算如下：150 + 4.68 − 1.10 × 2 = 152.48（真正出貨價）。

| HEX140.00P4 | 港交所 2014-04 140.00 Put | 20@1.1000 | -20@3.3000 | -20@3.3000 | 0 | | 0 | 3.30 | 4,400.00 HKD |
| HEX150.00F4 | 港交所 2014-06 150.00 Call | -10@4.6800 | | | -10@4.6800 | 0 | | 1.56 | 3,120.00 HKD |

（圖 2：港交所 (388) 持倉實例）

由於是持股開 Short Call，也就是 Covered Call，原則上股票要保留，可以放在股票戶口做孖展用途，在需要出貨時隨時調出，除非是採用 Short Call 平倉，同時也沽出股票。細心的讀者又會發現，Long 又是 Short 的一倍。但這次 Long Put 的做法就不同，因為 140 完全到位，期權金有三倍之多，已含內在值，應該平倉，平倉後用部分利潤繼續 Long Put。這種策略只要不升穿 150，就會產生持有股票的額外利潤。

以上這兩個組合策略都不是同步完成，是有前後分開做，動態進行，這就是期權教室強調的靈活性，散戶要在這個衍生工具市場與大戶博弈，一定要善用靈活性。

2014/06/06

目標與等待，這是筆者做股票期權十分強調的一種操作態度，這是一種人性樂觀情緒的行為，十分值得大家學習，不單是操作期權，其實為人做事亦然。

這個觀點是來自筆者中學時代看的小說《基督山恩仇記》，這是法國大文豪大仲馬的力作，該小說的結尾是：人類的智慧就是四個字——希望和等待。筆者看的是中國版本，台灣版本可能是譯為：等待，卻要懷著希望。（"Attendre et espérer!"）

股票期權的等待與開倉

本欄去年元月有篇文章題為：等待是期權的藝術。說明不論是 Long 還是 Short，期權操作者必須具備等待的耐性，這是一種美德，要自我培養。筆者的偶像科斯托蘭尼對

耐性形容得十分形象化，他說：鈔票是用屁股在板凳上坐出來的。

為何要等？因為目標不是經常有，我們要等目標出現。但若目標出現時我們還要等，時間過長或目標出現了變化，我們的等待可能會白費，等待的時間是我們的成本，操作期權應該有時間成本的概念，資金在一段時間內沒有被派上用場，雖然沒有賬面損失，但資金閒置也是一種損失。

長城汽車（2333）（見圖）由於延遲交付汽車，消息曝光後股價大跌，大跌前，5月7日的引伸波幅是39，8日停牌，9日大跌見51，10日回到45，股價則最低跌至25元。大行摩通將目標價大幅降低39%至25元，盈利預測下調2%，市盈率目標7倍，但評級維持中性，並預計產品成功推出之前，股價要升穿30元的機會不大。

圖中可見，25元的大行目標價的確是點到即止並迅速反彈。作為非常理性的投資者會耐心地等到股價跌至25元以下才開始考慮是否買進，這是用股票操作的等待方法。

從操作期權的角度看，若已有25元以下買進的打算，也就是說不介意接貨成本在25元以下。若是，就不妨用期權的 Short Put 買，可以 Short Put 價外25，也可以是當時的等價27元（大跌第二天），或者是用價內行使價開倉。由於引伸波幅拉高，期權金漲，所以9月 Put 位28元開 Short 倉可以輕輕鬆鬆3.50做到，按金要求是 $2,556.00/ 手（500股 / 手）。若閣下準備動用50萬買進這個股票，可以做40手（20,000 股），也就是說先動用 $2,556 x 40 = $102,240 按金去收取 $3.5 x 20,000 = $70,000 期權金，最大風險就是在自己認可的買進價24.50元（28.0 - 3.5）買進。若閣下認為期權金收入令人滿意，願意花費些少期權金 Long Call 則更佳，上一波下跌的裂口是31元，若是反彈，此位必達，當日6月 Call 位31元用0.70左右就可以做到，這就是自定組合策略。

執筆之時，股價已反彈至 32.40，由於升勢持續，引伸波幅保持在 45，Long Call 更顯優勢。無疑，這次用價內遠期 Short Put ＋價外近期 Long Call 做長汽，策略正確。這個個案可見，若機會出現，就應該帶著目標主動出擊，若再繼續等待，閣下的機會成本就非常高，但持有最終風險與自己預計一致的 Short Put 倉等待結算，那則是另一種享受。

（圖：長城汽車 (2333) 日綫圖及成交量）

近期《信報》的政治話題頗多，本人也想用期權插兩句。

歐洲議會選舉結束，反歐派勢力明顯增大，無疑這是真正代表人民聲音，是共同參與的結果，這與我們的政治生態是天淵之別。歐羅沒有出世前筆者曾在歐洲小住，親身的體會是認為歐洲各國一定要保留自己的民族性去維持一個多姿多彩的歐洲，但同時也必須認同大歐盟存在的必要性。從歐洲的歷史角度看，目前應該是符合整體歐洲利益的社會模式，方向對，會越走越好，政治期權觀應該是 Short Put 歐盟，樂見其慢慢成長。

香港則不同,我們此刻也在修建可能是屬於我們自己的社會模式,但這是給予的模式,家長早已為我們安排好我們的將來,作為子民只需感恩,是否參與其實意義不大,因此香港大多數人是政治冷感(包括本人)。對香港的政治期權觀筆者 2012 年 7 月在本欄有文章〈Short Call Hong Kong〉,今天翻看,發覺每次開倉的期權金(時間值)越來越少。

2014/07/11

股票期權莊家開價實在是一個問題,準備進場的朋友要有心理準備:不開價、開閃電價、開超寬差價(Bid & Ask Spread),這些現象是經常發生的,這是港交所的莊家常態,我們不能要求我們所處的市場完美(美股期權市場要比港股完美),我們只能努力去適應這個不完美的市場。

股票期權莊家的市場功能

筆者在期權教室堂上反覆強調,大戶是我們的好朋友,因為沒有大戶製造波幅,散戶是難以在波幅中取利。但當有波幅出現產生買賣機會時,要獲得期權市場的成交機會,許多市況下不是靠好淡雙方,而是靠期權莊家(散戶眼中的大戶)。

期權莊家(Market maker)在本港期權交易中的地位非常重要,特別是股票期權。因為指數期權只有恆指和國指兩隻,莊家多,即使是要做遠期(不是即月而是往後的月份)或價外(Out of the Money),需要報價,幾乎是隨叫隨有,而且開盤保留的時間夠,有心做一定可以成交。股票期權由於股票的數量多,每一個股票的莊家數量又可能不同,

所以，在要求報價時，不同股票的報價速度，特別是遠期和價外，不同莊家的表現可以相差很大，由於期權莊家是直接為交易所服務，所以莊家們的行為對市場成交頗具影響。

筆者在期權教室堂上建議做期權成交活躍的股票，許多學員在選擇時間：應該如何鑑定是否活躍？筆者的回答是：看成交當然是一個最直接的方法，但看回應報價時間（要求是 20 秒）和看開盤保留時間（要求是 20 秒）也是方法之一。目前，港交所正在積極推廣期權，莊家的數量有增無減，由於每個股票的莊家數量不同（莊家分三種），分工也不同（今後會有文章結合市況講解三種莊家），選擇個股期權的莊家結構也可以是選擇做股票期權的方法之一。研究莊家，筆者相信這不單會有利做股票期權，也會有利做該股票的現貨。

莊家增加，可以做期權的股票數量也在不斷增加，這絕對是好事，市場會越來越熱鬧。但筆者認為，若某個股票的期權成交實在太少，說明市場人士（大戶和機構）不需要為這個股票作對沖，這些股票還留在期權名單中不知是否是好事。因為從莊家角度看，要照顧這麼多股票，雖然都是電腦作業，但還是會有成本，因為莊家本身也需要對沖。從散戶的角度看，越是無人問津的期權，越是沒有興趣做，因為流動性差，一旦持倉，需要做動態策略要求報價時，可能會出現莊家遲遲才有反應的現象。

上週有三隻新股票期權上市，但在開市初時，期權莊家對這三隻股票的表現大不相同。中國信達（1359）最正常，莊家保持報價，保利協鑫能源（3800）也算合理，可以接受，但金山軟件（3888）則實在麻麻，不知何故，莊家報的都是「閃電價」，也就是說保持報價只維持 0.5 秒，一閃即走。筆者明白莊家的難處，即要有成交，又要在對沖條件下無風險，但「閃電價」是令市場無法成交的行為，無人得益，反而壞了莊家的名聲，

《期權 Long & Short》之進階篇

不值得做。筆者認為,在市況不明時需要加寬買賣差價或減少張數,令風險降低,可以理解,但應該保留報價 20 秒,完成期權莊家應該做到的市場角色。

筆者的期權書《期權 Long & Short》出版後銷售令人滿意,最新的第五版將在下週的香港書展上市(三聯 / 商務攤位有售),香港交易所環球市場科衍生產品高級副總裁黃愛玲女士(Irene Wong)為第五版開印寫了序,第五版也附帶了〈中國篇〉和增加了〈讀者園地〉,建議已經看過這本書的朋友「打書釘」只看新的內容,你很可能會得到新的啟發。

後記

　　雖然筆者對股票期權情有獨鍾，但也不得不認同，操作股票期權是保守型賺小錢的技巧，操作股票期權遠遜於炒消息買賣股票，因為炒消息買賣股票，一旦敲中，利潤可以幾倍甚至幾十倍計，當然閣下必須具備這種本事和操作時間。所以，從賺大錢的角度看，股票期權無法相比。

　　我們操作股票期權，整體而言，不論 Long Short，基本上都是以小博大，用技巧賺錢，與動用現金買股票，用實力，講本錢，大不相同。某種程度講，期權都是有槓桿成分，是衍生工具，具風險。因此，我們不單要細心觀察目標個股的價格變化，還要學會對該股票的各種事項進行綜合分析運用，制定適合自己的策略。在這個過程中，閣下可能體會到——「少則得，多則惑」。

　　最後，作為結尾，筆者有個建議：若你已持有《期權 Long & Short》第五版，當然不必買第六版，但若閣下希望對此書有個完整的認知，第六版的序，值得一看！

杜嘯鴻

2015 年 6 月

若閣下對期權有興趣，請繼續閱讀進階篇：

《期權心理》

《指數期權》

以及

《期權十年》